D0573966

Jean-Claude REYGADE

Bien Alimentairement Vôtre

Introduction à l'Hygiénisme

A paraître prochainement

de Monsieur Reygade :

Et une cuillerée pour Papa !

ISBN : 29507940

Je dédie ce livre à mon fils Adrien, 11 ans, qui gère sa vie alimentaire et énergétique avec un entendement supérieur à celui de son père,

ainsi qu'à mes professeurs, Mrs. Merien et Mosseri. Puisse le fruit de leur travail et de leurs recherches de 30 années sur la santé et la compréhension du corps humain être connu rapidement du grand public

J.C.R.

J'ai connu des petits citadins, niveau CM1 qui, lorsqu'on leur demandait de dessiner un poulet, représentaient un pack plastifié de supermarché, d'autres qui dessinaient, pour le poisson, un carré avec de la chapelure, un autre qui buvait quotidiennement du lait et qui, quand il a vu pour la première fois la fermière traire une vache, s'est exclamé :

– « Regarde maman, la vache, elle pisse du lait ! »

Depuis, il n'a jamais plus voulu en consommer !

– « A quelle époque l'homme a-t-il dé-
couvert la cuisson des aliments ? »

– « Je ne sais pas, je n'y étais pas ! »

– « Mais quand même, il paraît que les
vitamines ne supportent pas la chaleur ? »

– « Alors quoi ! Si je mange tous les
jours…

     tout cuit

     et

     trop cuit

Que se passe-t-il ? »

**C'était la rubrique
« Bonjour aux Instinctos ! »**[1]

---

1. Cf : *La guerre du cru*, G.C. Burger.

– « Il mange de la viande à chaque repas midi et soir ? »

– « Bof, pourquoi pas ! laisse-le vivre ! »

– « Il faut bien mourir de quelque chose un jour ou l'autre ! »

C'était la rubrique
« Bonjour aux carnivores ! »

Quel est le meilleur auxiliaire pour conjuguer ma vie :

ETRE OU AVOIR ?

C'était la rubrique
« Bonjour aux Esséniens ! »[1]

---

1. Cf. *De mémoire d'Esséniens*, Maurois-Givaudan, éd. Arista.

7

, l'eczéma,

Le chômage,
La pauvreté,
La guerre,

Maladies incurables ?
Incurables pour qui, pourquoi ?
Au lieu d'essayer de « stabiliser »
nos maladies « de civilisation »,
guérissons-nous !

**C'était la rubrique
« Bonjour à Tous ! »**

Le 24 décembre, j'ai fait le marché avec ma mère, j'ai vu des melon et des tomates !

Je ne suis pas agriculteur mais je ne suis pas fou !

Je sais bien que les melons et les tomates, ça pousse l'été !

– Alors ceux-là, d'où viennent-ils ?

– D'Afrique ?

– Mais le transport, ça coûte cher ! C'est peut-être pour ça qu'ils sont hors de prix ?

– De France ?

Mais comment se fait-il qu'ils n'aient pas pourri depuis l'été dernier ?

– Il existe des chambres à gaz pour les conserver !

On y met de l'acide cyanhydrique, des vapeurs de soufre, du sulfure de carbone, du phosphore d'hydrogène et du bromure de méthyle !

– Ah bon ! je suis rassuré !

C'était la rubrique
« Bonjour aux chimistes alimentaires ! »

Quelle est ma récolte de vie aujourd'hui ?
C'est ce que j'ai semé hier
dans mes pensées,
mes relations,
mes actions,
mon alimentation !

**C'était la rubrique
« Je me dis bonjour ! »**

L'HYGIÉNISME

I. HISTORIQUE

L'hygiénisme prend ses sources chez la déesse Hygie, fille d'Esculape. Alors que celui-ci était le dieu de la médecine, Hygie était la déesse de la santé. L'hygiénisme sera à la fois une science et un art de la santé. Son objectif est donc de préserver et de restaurer la santé en utilisant les facteurs vitaux : air, eau, soleil, aliment, sommeil, activité, repos, etc.

Le mouvement hygiéniste est né aux Etats-Unis dans la première moitié du XIXe siècle.

A partir de 1820, les principes fondamentaux de l'hygiène vitale furent énoncés par les pionniers : les docteurs Isaac Jennings, Sylvester Graham, Russel Trall, George H. Taylor.

Cette époque fut très féconde pour le développement de l'hygiénisme.

Par la suite, de nombreux théoriciens et praticiens contribuèrent à propager les idées hygiénistes. Parmi ceux-ci, le Docteur Tilden, auteur de l'étude intitulée *Toxémie et désintoxication*, eut une grande influence sur les représentants actuels du mouvement hygiéniste. Tilden mourut en 1949, à l'âge de 83 ans.

Parmi les hygiénistes contemporains, Herbert M. Shelton occupe sans conteste une place prépondérante. L'œuvre qu'il a accomplie est colossale. Il a procédé à une exploration systématique des documents hygiénistes rédigés par ses prédécesseurs. Ensuite il a réalisé une monumentale synthèse de ces travaux auxquels il a adjoint les résultats de sa propre expérience.

Au début de ce siècle, l'hygiénisme demeura dans une relative inertie. Le mouvement hygiéniste risquait fort de voir sa pureté disparaître, sous l'accumulation de données « déviationnistes » : principes érigés en dogmes, accompagnés de nombreuses pratiques et recettes.

Le mérite essentiel de Shelton fut de faire un tri sérieux entre l'accessoire – voire le faux – et le fondamental. Il y réussit merveilleusement. Aujourd'hui, les travaux de Shelton servent de base aux recherches de nombreux hygiénistes. C'est par la diffusion de ses ouvrages traduits en français que la théorie hygiéniste a pu se propager dans notre pays.

Sans cesse plus nombreux sont les malades qui doivent aux principes de l'hygiénisme – bien appliqués – le retour à la vraie santé.

II. PRINCIPES DE BASE

La santé ou la maladie sont liées à l'état toxémique de l'organisme. La santé existe lorsque le niveau de toxémie est inférieur à un certain seuil de tolérance.

Au contraire, la maladie survient lorsque le niveau toxémique devient trop élevé. Les symptômes ne représentent en fait que les efforts faits par l'organisme pour tenter de se désintoxiquer.

L'hygiénisme enseigne donc les pratiques vitales qui permettent de vivre dans les meilleures conditions possibles. En particulier, il recommande une nourriture simple et le jeûne pour favoriser la désintoxication du corps.

Les maladies correspondent à des crises de désintoxication qu'il n'est pas souhaitable d'entraver. C'est pourquoi l'hygiénisme ne recommande pas l'usage des médicaments.

La guérison des maladies consiste donc à rénover l'organisme en le purifiant : c'est une démarche de responsabilité. Aussi l'hygiénisme est-il plus à considérer comme un enseignement visant à une vie saine que comme technique curative. (Extrait de l'ouvrage *Jeûne et santé* de Désiré Merien, éd. Nature et vie, Lorient.)

« Ne cherchez pas tant la santé que la vérité,
et la santé vous sera donnée par surcroît. »

H.M. Shelton
Les combinaisons alimentaires et votre santé

INTRODUCTION

L'être humain, dès sa naissance, a besoin pour vivre de relationnel

Ce relationnel prend deux formes :

– **Le relationnel affectif**, c'est-à-dire, la tendresse, les émotions, que le bébé va capter chez les adultes qui l'entourent.

Cette nourriture-là vient de l'extérieur et il va l'assimiler : elle lui permettra de se forger un caractère, une personnalité, une compréhension de son environnement.

– **Le relationnel solide**, les aliments, le lait de la mère au départ.

L'enfant va assimiler ces aliments provenant de l'extérieur, pour lui permettre de se développer physiquement.

Ces deux formes de relationnel vont être étroitement liées toute la vie.

Le fait que l'un des deux soit perturbé aura obligatoirement une répercussion sur l'autre. Un déséquilibre se créera alors sur l'ensemble de l'être humain, qui est UNITÉ entre un esprit et un corps.

Avec les découvertes de Sigmund Freud, et cet outil de travail qu'est la psychanalyse, notre société a mis l'accent sur le psychosomatique. C'est une étape importante dans l'histoire de l'homme.

En effet, on sait maintenant que c'est à partir de perturbations dans le relationnel affectif, à partir de pensées restrictives sur nous-mêmes, que nous enclenchons la plupart de nos symptômes.

Ce point sera largement développé dans les chapitres suivants.

Mais qu'en est-il du **somato-psychologique** ?

Quelle est la répercussion du mode de vie physique, alimentaire, sur les processus chimiques mentaux ?

Lorsque je travaillais en psychiatrie, un malade qui souffrait de douleurs gastriques était rarement pris en compte pour son symptôme physique : on considérait qu'il « somatisait » ! Au mieux, il recevait une ordonnance de placebos.

Peut-être ce malade ne faisait-il que somatiser, mais la douleur était réellement ressentie, et ça faisait mal ! Certes, le symptôme vient du mental, mais à l'inverse, une action sur le bien-être physique ne pourrait-elle pas avoir des répercussions positives sur le mental ?

Le verbal et les mots sont complexes. Le même mot abstrait aura une connotation très différente d'un individu à l'autre.

Prenons le mot SANTÉ :

– pour un paralysé, cela voudra dire, récupérer l'usage de ses jambes ;

– pour un autre, ne plus déprimer ;

– pour une maman, pas de diarrhées pour son enfant ;

– pour un chirurgien, l'opération de la vésicule ;

– pour le curé, santé spirituelle en allant à la messe le dimanche ;

– pour l'alcoolique « trinquer » : « A ta santé ! »

– pour un directeur de laboratoire médicamenteux, chiffre d'affaires, etc.

A force de triturer les mots et la pensée, on oublie les autres langages non verbaux, gestuels, la tendresse, le sourire gratuit, l'échange et le partage.

C'est notamment pour son caractère concret et pragmatique que j'ai choisi l'HYGIÉNISME.

Lorsque je parle de yaourt ou de pommes de terre, l'autre en face me comprend. Nous mettons la même chose sous le même mot.

Lorsque je lui explique que, chimiquement, ces deux aliments sont incompatibles, car le yaourt réclame une solution digestive acide dans l'estomac et les pommes de terre une solution alcaline.

Il m'entend !

Quand je lui dis que cette incompatibilité majeure entraînera à la longue une perturbation de son équilibre acido-basique.

Il me comprend !

Lorsque je lui explique que ce déséquilibre acido-basique encrassera son système sanguin et que son cerveau, nourri par le sang, sera lui aussi perturbé,

Il m'entend toujours !

En nous nourrissant d'une autre façon, en tenant compte des lois alimentaires qui nous régissent, nous ne réglerons peut-être pas tous nos problèmes de stress affectif et autres, mais un cerveau correctement nourri aura une préhension différente de l'environnement, plus claire, plus lucide. La situation ne changera pas obligatoirement, mais avec un autre point de vue, plus sain, la solution sera plus facile à trouver.

La clé de nos problèmes, mentaux, ou organiques, n'est pas à l'extérieur, mais toujours à l'intérieur de nous-mêmes, précise, unique.

Peut-être immuable aussi, qui sait ?

CHAPITRE I

« Impose ta chance,
serre ton bonheur
et va vers ton risque.
A te regarder, ils s'habitueront ! »

René Char

PROPOS SUR I
DE L'ORGA

Les recettes :

1. I
a

Recettes/Dépenses

Les Chinois disent que l'homme est un émetteur-récepteur énergétique. Nous captons l'énergie cosmique pour la transmettre à la terre, énergie tellurique, et vice versa.

Il est certain que chacun de nous a un potentiel d'énergie qui lui est propre dès la naissance. Cette énergie, dans notre vie, sera entretenue par l'apport d'éléments extérieurs à nous-mêmes (air, eau, aliments). Dans le même temps, nous dépensons de l'énergie de fonctionnement.

Toute la question va donc être :

– comment entretenir cette balance entre les entrées et les sorties énergétiques ?

– par quel mode de vie ?

LE CORPS HUMAIN FONCTIONNE COMME UNE EN-TREPRISE AVEC UN SYSTÈME DE RECETTES ET DE DÉPENSES ÉNERGÉTIQUES.

...les sont au nombre de trois :

air, qui apporte l'oxygène nécessaire à chaque seconde,
...te réflexe de respiration continuelle.

2. **L'eau**, nécessaire à toute vie cellulaire et intra-cellulaire.
Nous absorbons de l'eau en consommant des fruits, des légumes et en buvant. C'est la seule boisson essentielle à
l'homme (les jus de fruits et le lait sont des aliments et non des
boissons).

3. **Les aliments**, avec leurs composants (protéines, glucides,
lipides, sels minéraux, vitamines) qui vont servir à la croissance, à l'entretien et à la réparation. Après transformation
chimique, les aliments vont nous fournir de l'énergie de fonctionnement.

Les dépenses :

Quant aux dépenses énergétiques, elles sont la conséquence des nombreuses fonctions que le corps doit assurer pour
se maintenir en vie :

fonction musculaire ;

fonction visuelle, auditive ;

fonction thermique ;

fonction sexuelle ;

fonction de croissance chez l'enfant ;

fonction de reproduction chez la femme ;

fonction d'évacuation des déchets (selles, urines, gaz
carbonique) ;

fonction mentale intellectuelle ;

fonction mentale émotionnelle ;

Et enfin…

fonction de digestion ;

fonction d'assimilation ;

fonction d'élimination toxinique cellulaire ;

fonction immunitaire.

LORSQUE JE MANGE UN ALIMENT, JE DOIS D'ABORD DÉPENSER DE L'ÉNERGIE POUR SA TRANSFORMATION CHIMIQUE, AVANT QU'IL NE ME PROCURE L'ÉNERGIE NÉCESSAIRE AUX AUTRES FONCTIONS. IL FAUT DONC DANS UN PREMIER TEMPS QUE JE POSSÈDE CETTE ÉNERGIE.

Ce point est essentiel pour la compréhension du corps humain dans ses besoins alimentaires.

Si je demande à mon organisme de dépenser beaucoup d'énergie dans une des fonctions citées plus haut, ce sera au détriment d'une ou de plusieurs autre(s) fonction(s).

Tout le problème est en fait de maintenir une balance énergétique au moins équilibrée :

dépenses = recettes = équilibre

ou mieux cumuler plus de recettes que de dépenses :

dépenses < recettes = bénéfice

Exemple : une personne mange beaucoup en quantité et en mauvaises associations alimentaires. Elle dépensera donc beaucoup d'énergie de transformation. Si elle ne change pas de mode de vie, cette dépense d'énergie excessive se fera obligatoirement au détriment de la fonction thermique (sensation de froid), ou visuelle (trouble de la vision), ou de la fonction de croissance (chez l'enfant), ou de la fonction mentale (l'enfant a du mal à assimiler les connaissances), ou de la fonction de reproduction (qui se bloquera et la femme n'arrivera pas à être enceinte), ou des fonctions d'évacuation (constipation), ou de la fonction d'assimilation (carence) ou de plusieurs de ces fonctions à la fois.

Cette perte d'énergie quotidienne affectera obligatoirement la fonction d'élimination toxinique cellulaire et aura pour conséquence un encrassement régulier de l'organisme, c'est-à-dire une augmentation quotidienne de la toxémie.

Notre organisme, au bout d'un certain temps, très variable d'une personne à l'autre, va donc se trouver devant une impasse :

1. Je n'ai pas assez d'énergie pour évacuer mes toxines ;

2. Je les ai donc stockées pendant un certain temps, là où je pouvais, mais la boîte est pleine, je ne peux plus ni éliminer ni stocker !

Si la nature était mal pensée, ce dépassement du seuil de saturation toxinique par le surplus qui arrive quotidiennement, devrait créer une empoisonnement immédiat et une mort instantanée.

Mais la nature recherche toujours la vie et l'équilibre. Elle va donc essayer de trouver une solution à cette saturation de déchets dans le corps.

Cette solution consistera en un ou plusieurs symptômes ! Le corps va se servir d'une maladie comme du trop plein d'une baignoire.

Au lieu de créer un empoisonnement total immédiat, le corps va canaliser cette surtoxémie dans un symptôme X. Dans le cas des enfants, ces symptômes sont courants : rhino-pharyngites, otites, eczéma, allergies, angines. L'organisme va se servir de ses ouvertures sur l'extérieur nez/bouche/oreilles pour évacuer les toxines indésirables. Parfois, il se servira de la peau comme organe-relais excréteur (ceci lorsque le foie, les reins et les poumons sont fatigués). Conséquence : de l'eczéma.

Le concept de maladie est devenu très opérationnel dans notre société. Il est couramment admis que les enfants doivent « faire leurs maladies infantiles ! ».

LA MALADIE QUELLE QU'ELLE SOIT, EST UN SIGNAL QUE LA NATURE NOUS ADRESSE LORSQU'ON S'ÉCARTE TROP DES LOIS QUI NOUS RÉGISSENT !

Conclusion :

LA TOXÉMIE EST UN ÉTAT NORMAL, CHEZ L'ÊTRE HUMAIN. CHAQUE JOUR NOUS FABRIQUONS DES TOXINES QUE NOUS ÉLIMINONS ET QUI SONT REMPLACÉES PAR D'AUTRES. TOUT LE PROBLÈME EST DE MAINTENIR CET ÉTAT DE TOXÉMIE AU NIVEAU LE PLUS BAS POSSIBLE.

L'organisme humain, en situation de perturbation méca-nique et mentale, va augmenter sa toxémie interne, c'est-à-dire qu'il va fabriquer et stocker des déchets organiques et donc s'encrasser.

Dans certaines situations, cette toxémie va atteindre un seuil de saturation par des paliers de toxémie intermédiaires. Le corps humain va, par différents signaux, nous indiquer de l'ex-térieur, les perturbations croissantes chimiques qui se dévelop-pent à l'intérieur.

Le symptôme n'interviendra donc qu'après tout le travail d'élaboration toxémique signalé par une dizaine d'avertissements/indications systématiques, quel que soit l'âge, l'état et les antécédents de la personne.

JE VOUS PROPOSE DE REPÉRER ET DE COMPRENDRE CES SIGNES PERMANENTS PAR UN SYSTÈME D'ÉVALUATION DE L'ÉTAT ÉNERGÉTIQUE ET DE L'ÉTAT DE SANTÉ DE VOTRE ORGANISME.

ENSUITE, NOUS VERRONS LES RÉPONSES ALIMENTAIRES À ADOPTER POUR STOPPER CET ACCROISSEMENT DE LA TOXÉMIE ET AINSI, ÉVITER L'APPARITION DE SYMPTÔMES.

« Un corps sain renferme peu de déchets, mais suffisamment pour nourrir peu de microbes, tandis que dans un corps malade l'augmentation des déchets permet la prolifération et la nutrition d'un grand nombre de microbes. »

G. B. Shaw

ÉVALUATION DE L'ÉTAT ÉNERGÉTIQUE ET DE L'ÉTAT DE SANTÉ DE L'ORGANISME

Couleur de la langue

Un organisme en bon état de fonctionnement présente une langue de couleur rose.

Si la langue est chargée, avec un dépôt blanchâtre au fond ou sur toute la surface, nous pouvons en déduire une élimination toxémique importante en cours au niveau des intestins, organes servant au passage des nutriments dans l'organisme.

Les yeux

La couleur de la cornée d'un être humain en bonne santé est d'un blanc bleuté. Un blanc des yeux jaune indique une perturbation au niveau du foie. Des éclatements de vaisseaux sanguins sont liés aux reins et à la tension artérielle.

Le pouls

Le sang possède plusieurs fonctions :

– véhicule des nutriments pour nourrir les cellules ;

– véhicule des toxines élaborées au niveau cellulaire pour leur évacuation (reins, poumons) ;

– véhicule des anticorps dès qu'il y a perturbation, inflammation.

Lorsque la fabrication de toxémie cellulaire devient trop importante, l'organisme va amplifier ses mouvements sanguins pour acheminer ces déchets vers les organes excréteurs : le pouls va donc augmenter. Le pouls des bébés oscille en temps normal dans une fourchette de 80 à 110 pulsations/minute.

Celui des enfants plus âgés : de 70 à 100.

Les adultes entre 50 et 70.

Un pouls trop élevé en permanence indique donc un travail d'élimination toxinique important.

Les urines

Lorsque la toxémie de l'organisme est importante, de nombreux déchets sont acheminés aux reins pour évacuation.

Dans ce cas, la couleur de l'urine va se foncer, devenir jaune foncée, parfois malodorante.

Chaque nuit, notre organisme au repos va profiter de ce répit pour canaliser le maximum d'énergie au niveau de la fonction d'élimination toxinique cellulaire. Il est donc normal que la première urine du matin soit légèrement colorée (jaune).

Une urine significative d'un bon travail interne et de moindre toxémie doit être claire, presque comme de l'eau.

Les selles

Les déchets contenus dans les selles sont des parties d'aliments impropres à la nutrition du corps, mais nécessaires au transit intestinal (fibres de cellulose).

Une fois que les selles sont dans le gros colon, il n'existe pratiquement plus d'échanges chimiques. Il ne reste plus qu'un travail mécanique d'évacuation à effectuer.

Parfois, en situation de toxémie importante, l'organisme va décider de ne pas évacuer ces selles (constipation). Il préfère économiser cette énergie momentanément pour effectuer un travail plus urgent pour lui, dans une autre fonction.

Ou bien, la toxémie intestinale étant brusquement trop forte, nous aurons un processus d'évacuation rapide, c'est-à-dire une diarrhée.

Dans les deux cas, nous sommes en présence d'une perturbation momentanée qui nécessite un repos physiologique de certains organes. Il ne sert à rien de se gaver d'un tas de choses pour « aider » la nature. La nature est une dame parfaite qui n'enclenche rien au hasard.

La constipation est une nécessité naturelle momentanée de l'organisme pour économiser de l'énergie. Les selles reviennent naturellement par la suite. La constipation est donc un processus d'inversion énergétique. Les selles des bébés qui mangent liquide, seront liquides. En grandissant, les enfants consomment des aliments solides qui entraînent des selles normalement d'un seul bloc, moulées, inodores.

Des selles qui sentent mauvais indiquent un processus de putréfaction et de fermentation intestinales dû à une nourriture inappropriée et à des mauvaises associations alimentaires, nous allons à l'encontre des lois naturelles qui nous régissent et notre organisme sera perturbé par des processus chimiques de digestions inadaptées. Qui dit fermentation dit fabrication de poisons, dont l'alcool.

Conséquence : une toxémie supplémentaire qui s'ajoute à la toxémie cellulaire naturelle.

Les sensations de froid

Lorsque la fonction d'élimination toxémique est mise à trop grande épreuve, l'organisme, pour effectuer ce travail essentiel pour lui, va récupérer des énergies secondaires.

Nous avons déjà étudié le processus d'inversion énergétique à propos de la constipation. Nous aurons la même situation dans la fonction thermique, qui se traduira par des extrémités froides (pieds-mains) ou froid général du corps. Nous sommes de nouveau dans un processus d'inversion énergétique.

Si l'individu n'intervient pas dans son mode de vie alimentaire, il risque de chroniciser cette situation et d'avoir froid en permanence.

Le poids

Les enfants, au cours de leur croissance, prennent régulièrement du poids. Parfois, ils peuvent stagner car l'énergie sera momentanément déviée de la fonction pondérale au profit du développement du système osseux. L'enfant ne grossira pas mais grandira.

Une perte de poids chez l'enfant indique une toxémie importante qui affecte la fonction d'assimilation des nutriments.

CE QUI IMPORTE, CE N'EST PAS CE QUE L'ON ABSORBE MAIS CE QUE L'ON ASSIMILE.

Il ne servirait à rien d'augmenter les quantités alimentaires dans ce cas. Cela aurait un effet contraire en épuisant les forces de l'enfant.

La fièvre

La fièvre est naturellement déclenchée par l'organisme pour neutraliser les proliférations de toxines dans l'organisme. Les enfants en général, ont un bon potentiel énergétique qui n'est pas encore perturbé par un mauvais mode de vie alimentaire (alcool, tabac, chimie et stress).

Leur corps dans certaines situations, va donc atteindre très vite un seuil de saturation toxinique, et, de ce fait, les mécaniques anti-infectieuses se mettront en marche en apportant une réponse adaptée.

Il est de pratique courante d'essayer de neutraliser la fièvre en l'abaissant. Est-ce bien nécessaire dans tous les cas ?

La fièvre fait partie du système immunitaire de défense de chaque individu. En bloquant systématiquement ce processus naturel, on ne permet pas à l'organisme d'entretenir la mécanique immunitaire, qui à force d'être contrariée dans sa marche normale, va se « gripper » et, au fil du temps, dysfonctionner. Notre société civilisée parle beaucoup du système immunitaire actuellement. Mais que fait-on pour en prévenir la déficience ?

L'appétit

L'animal, en situation de perturbation, va instinctivement s'arrêter de manger. Pourquoi ?

Pourquoi l'Etre humain, dans la même situation, non seulement continue à s'alimenter, mais à surcharger son organisme de diverses drogues chimiques, tisanes, aliments et autres potions magiques miraculeuses ?

Les bébés et les enfants ont en général une relation culturelle et affective à l'alimentation saine ; c'est-à-dire qu'en situation de perturbations ou de symptômes déclarés, leur réponse sera instinctive. Leur organisme physique et mental refusera l'alimentation momentanément, le temps pour lui de réduire la toxémie. En fait, l'organisme va économiser l'énergie habituellement affectée aux fonctions de digestion/assimilation pour la redistribuer à la fonction d'élimination toxinique.

En laissant ce travail s'effectuer, certains bébés peuvent sauter un ou deux repas, voire même une journée de repas. Les enfants plus grands peuvent passer 48, voire 72 heures sans prendre d'aliment solide.

Il est inutile de s'inquiéter dans ces cas-là ! Le corps humain est une mécanique merveilleuse de précision que jamais l'homme, dans sa technique, n'égalera.

La vision

Dans certains cas, cette situation de déchets dans l'organisme (toxémie) va se porter sur l'organe visuel sur deux plans :

– 1er plan : encrassement chimique de l'organe visuel, ce qui entraînera une diminution ponctuelle ou chronique du potentiel visuel.

– 2e plan : comme dans le processus des selles et dans le processus thermique, l'organisme peut, dans certains cas, récupérer l'énergie de cette fonction pour effectuer un autre travail d'élimination toxinique, beaucoup plus essentiel pour lui. Nous serons donc de nouveau dans un processus d'inversion énergétique. Ce qui se traduira par des troubles visuels momentanés, taches devant les yeux, picotements. Cela dit, les deux plans se chevauchent généralement.

L'haleine

Une haleine fétide, une bouche pâteuse, indiquent un travail d'élimination pulmonaire conséquent. Certaines toxines acides sont transportées par le sang au poumon et transformées en acide volatile que l'organisme évacue par la respiration. Un bon travail pulmonaire d'un organisme sain engendre une haleine fraîche sans odeur désagréable.

RÉCAPITULATIF

BONNE SANTÉ TOXÉMIE NORMALE		MAUVAISE SANTÉ ACCROISSEMENT DE LA TOXÉMIE AVEC OU SANS SYMPTÔME DÉCLARÉ
Langue	Rose	Blanche, épaisse = effort d'élimination intestinal. Risque : insuffisance intestinale (constipation ou diarrhées)
Haleine	Fraîche sans odeur	Bouche pâteuse = effort d'élimination Haleine fétide pulmonaire Risque : encrassement du système respiratoire
Pouls	Régulier avec petites variations	Trop rapide, grandes variations : effort d'élimination du système sanguin. Risques multiples suivant l'âge
Urines	Claires	Foncées malodorantes = effort d'élimination rénale Risque : insuffisance rénale émissions fréquentes, cystites, etc.
Selles	Moulées, inodores	Séparées, nauséabondes = putréfaction intestinale par alimentation inadaptée. Risque = perturbation de la flore microbienne Diarrhées = empoisonnement ponctuel que le corps rejette rapidement. Constipation = insuffisance énergétique

RÉCAPITULATIF

BONNE SANTÉ TOXÉMIE NORMALE		MAUVAISE SANTÉ ACCROISSEMENT DE LA TOXÉMIE AVEC OU SANS SYMPTÔME DÉCLARÉ
Fièvre	36.8/37.3	Supérieure à 37.5 = foyer d'infection = réaction immunitaire essentielle de l'organisme pour neutraliser les bactéries et diminuer la toxémie. Avantage si fièvre de loin en loin : – diminution de la toxémie – augmentation en puissance du système de défense Si fièvres trop fréquentes = toxémie importante ! nécessité absolue de revoir l'alimentation ! Risques multiples si non changement dans le mode de vie (attention ! ne pas s'amuser non plus à prendre la température anale à tout bout de champ, risque d'endommager la zone anale !
Fonction thermique	Chaleur régulière dans tout le corps	Sensations de froid localisées (pied, main, nez) ou généralisées = insuffisance énergétique. Risque = persistance et accroissement dans le temps ce qui diminuera le potentiel vital énergétique de la personne encore plus.
Yeux	Blanc des yeux bleutés sans éclatement de vaisseaux sanguins	Blanc des yeux jaunes = problèmes hépatiques (foie) récents ou anciens. Vaisseaux sanguins éclatés = sollicitations rénales trop importantes. Risques = insuffisance rénale, hypertension.

RÉCAPITULATIF

BONNE SANTÉ TOXÉMIE NORMALE		MAUVAISE SANTÉ ACCROISSEMENT DE LA TOXÉMIE AVEC OU SANS SYMPTÔME DÉCLARÉ
Appétit	Régulier sans excès	Manque d'appétit = l'organisme a besoin de se reposer soit pour éliminer une toxémie qui s'accroît, soit pour refabriquer son potentiel d'énergie en diminution ponctuelle, soit les deux. Trop d'appétit, besoin de nourriture importante en quantité, en permanence. Cause : STRESS, déperdition énergétique mentale importante d'où besoin de sucre (bonbons, chocolat, pâtisserie, pâtes, riz, etc.) ou toxémie trop importante que la personne entretient
Poids	Evolutif chez les enfants ou stagnant momentanément au profit de la fonction de croissance osseuse	Perte de poids chez l'enfant = fatigue généralisée qui perturbe la fonction d'assimilation. Risque : carence, insuffisance d'évacuation toxémique. La réponse ne sera pas dans la surcharge alimentaire de toutes sortes mais dans le repos des fonctions digestives. Surcharge pondérale = revoir les associations alimentaires.
Vision	Claire, nette. Sans diminution acquise de l'acuité	Troubles de la vision, diminution de l'acuité au cours de la vie (taches, picotement, étoiles). Risque = perte progressive de la vision. La toxémie est trop importante et s'est localisée sur cette fonction visuelle. Parfois il existe le même processus de destruction pour l'audition, le goût, l'odorat.

CHAPITRE II

« Que l'alimentation soit ta seule
médecine et l'aliment ton seul remède ! »

Hippocrate

PROPOS SUR CERTAINS ALIMENTS COURANTS

$\mathscr{L}e$ lait

Chaque femelle mammifère possède un lait tout à fait adapté à la croissance de ses petits.

C'est ainsi que le lait de vache est nécessaire au veau. Celui-ci a terminé sa croissance au bout de trois ans. Pour lui permettre d'effectuer cette maturation ultra-rapide, le lait de sa mère contient beaucoup de minéraux (calcium, phosphore, etc.).

Le lait adapté aux bébés humains est le lait de leur mère. Lui aussi contient les minéraux nécessaires à leur croissance, en quantité moindre mais suffisante. Cette croissance va durer non pas trois ans mais vingt ans. Le bébé a donc besoin de minéraux mais étalés sur vingt ans. Le lait de la femme contient tout ce dont a besoin son petit au début de la vie.

Le lait de vache est saturé de minéraux pour la croissance du veau. Si l'on donne ce lait à l'enfant, trois situations sont possibles :

1. L'enfant n'a pas assez d'énergie pour assimiler correctement le lait de vache et évacuer les minéraux en trop (hyper-minéralisation). Des perturbations vont donc s'ensuivre : vomissement

(rejet naturel de l'organisme face à un produit dont il ne peut rien faire), inassimilation car le système digestif est trop perturbé, carences, etc.

* Il existe des enfants qui ne supportent pas le lait de vache pendant toute leur enfance.

2. L'enfant possède une énergie suffisante : il va assimiler ce dont il a besoin dans le lait de vache et évacuer ce dont il n'a pas besoin.

* Il pourra donc en consommer sans trop de problèmes.

3. L'enfant a un potentiel d'énergie variable pour X raisons. Il consommera du lait de vache pendant un certain temps puis, par moment, aura besoin de faire un « break », le temps d'éliminer le surplus de minéraux accumulés dans l'organisme. Une fois que ce travail d'équilibrage sera fait, il pourra de nouveau consommer du lait de vache.

Par la suite, vers 8-10 ans, les enfants ne sécrètent plus la présure nécessaire au caillage du lait dans l'estomac pour sa bonne digestion. Ce qui nous fait dire qu'en théorie, le lait n'est plus un aliment nécessaire à l'être humain à partir de cet âge. Nous lui préférerons le yaourt, les petits suisses, le fromage blanc, aliments déjà caillés naturellement avant leur absorption.

La viande

Il est courant de penser et de croire que la viande est nécessaire en permanence à l'être humain pour ses protéines. Il est intéressant de noter que la consommation de viande est passée de 20 kg par an par habitant en 1900 à 100 kg par an par habitant en 1988. Il est aussi intéressant de noter que notre siècle cumule depuis ce temps énormément de maladies dont on ne sait expliquer le développement (cancer, sclérose en plaque, polyarthrite, etc.). Peut-être s'agit-il d'une simple coïncidence !!! La viande contient des protéines mais aussi des toxines appelées purines. Dans une consommation de viande modérée, l'organisme pourra assimiler ces protéines pour ses besoins et éliminer les purines indésirables.

En cas de surconsommation de viande, l'organisme va se fatiguer pour éliminer ces purines. Il va s'ensuivre une réduction du potentiel d'énergie et de nouveau un stockage de ces toxines, qui va augmenter la toxémie du corps et ainsi contribuer à provoquer les perturbations citées plus haut.

Les enfants, en règle générale, n'ont pas besoin de ces protéines avant un an. Ils se satisferont de celles du lait de leur mère principalement puis des protéines des fruits et des légumes.

CHAQUE ALIMENT ADAPTÉ À L'ÊTRE HUMAIN CONTIENT TOUT CE DONT IL A BESOIN, MAIS DANS DES QUANTITÉS VARIABLES.

Les protéines se retrouvent en diverses proportions dans les fruits, les légumes, les céréales, les produits animaux.

N'est-il pas choquant de voir certains parents se comporter face à leurs enfants comme si ces derniers devaient grandir plus vite que la nature ne l'exige ? C'est ainsi que parfois, ils vont leur servir, à quelques mois de vie du steak haché mixé.

Nous considérons ceci comme une erreur, source de problèmes futurs.

Le sucre

M. Oshawa, le précurseur de la macrobiotique, en arrive à la conclusion suivante : « le sucre raffiné fait autant de ravage dans notre société que l'alcool et la drogue », seulement sur un temps plus long de destruction !

Le sucre rapide est absolument nécessaire aux fonctions mentales, musculaires et cellulaires.

Lorsque je mange une pomme, ce fruit m'apporte des vitamines, des sels minéraux, de l'eau, de la chlorophylle, des protéines et des sucres simples.

C'est l'ensemble de ces composants qui va travailler pour être assimilé.

Si je retire arbitrairement et uniquement le sucre de ce fruit (ce que l'on fait avec la canne à sucre et les betteraves) il va manquer les autres constituants pour la digestion. Le sucre nécessite pour la digestion certains minéraux comme le calcium. S'il n'existe pas d'apport de calcium à ce moment-là, l'organisme va être obligé de déstocker le calcium là où il est normalement nécessaire. Le calcium est indispensable au développement et à l'entretien des dents et des os. Ce processus de digestion de sucre raffiné va donc entraîner une carence à moyen terme des sels minéraux nécessaires aux dents et aux os. Ce qui provoquera des caries, voire des problèmes osseux.

LE PROCESSUS CHIMIQUE DE DIGESTION DU SUCRE RAFFINÉ
ENTRAÎNE UNE DÉMINÉRALISATION.

Où trouve-t-on le sucre raffiné ? Dans…
– le sucre blanc ou roux ;
– les bonbons ;
– les yaourts sucrés ;
– les boissons chimiques sucrées ;
– les charcuteries industrielles ;
– les pâtisseries industrielles et maison ;
– les confitures industrielles et maison.

Où trouve-t-on le sucre naturel nécessaire à la croissance
et à l'entretien du corps humain ? Dans…
– les fruits de saisons : frais, en jus ou en compote ;
– les fruits secs sucrés : raisins secs, figues sèches, abricots secs, dattes.

Il est intéressant de noter que la surconsommation de ces
trois produits : lait, viande, sucre, est intervenue après la dernière guerre. Le pays était en pleine croissance, du fait de la re-
construction et s'est trouvé rapidement en surproduction. Pour
écouler les stocks, les médias de l'époque ont poussé à la surconsommation nos parents et nos grands-parents. Les générations actuelles ont donc été élevées dans cet esprit :
– mange de la viande, ça donne des forces !
– bois du lait, c'est bon pour les os !
– prends du sucre, ça donne de l'énergie !

Notons enfin que le sucre raffiné est un anxiolytique mental (tranquillisant) puis anxiogène (substance stressante),

… alors que le sucre naturel n'est qu'anxiolytique.

« Les fausses opinions ressemblent à la fausse monnaie, qui est frappée d'abord par de grands coupables, et dépensée ensuite par d'honnêtes gens qui perpétuent le crime, sans savoir ce qu'ils font.»

Joseph de Maistre

LES ASSOCIATIONS ALIMENTAIRES

Notre société, au cours de cette deuxième partie du siècle, suite à l'abondance et à la démocratisation de beaucoup d'aliments, a perturbé par des mélanges incompatibles au cours d'un même repas, les processus chimiques de digestion.

C'est ainsi que les générations précédentes n'avaient pas systématiquement un dessert sucré en fin de repas, comme aujourd'hui le yaourt « arôme fruit » !

Le dessert quotidien est donc une habitude culturelle récente dans notre histoire. Le yaourt est une protéine maigre acide, c'est-à-dire que pour sa digestion, le corps va émettre des sucs acides, entre autre de l'acide chlorhydrique.

Au cours de ce même repas, nous avons probablement consommé un féculent (autrement dit un sucre lent ou glucide ou hydrate de carbone, même nom pour la même famille d'aliments), par exemple : pommes de terre, riz, pâtes, semoule de couscous, pain. Les féculents nécessitent des sucs alcalins, « le contraire d'acide ». La digestion des féculents commence dans la bouche avec une émission de sucs alcalins ; ce processus va continuer dans l'estomac. Les processus chimiques de digestion des féculents ne nécessitent surtout pas d'acidité.

La présence dans l'estomac de yaourt et de féculent va donc poser un sévère problème à notre métabolisme. Les sucs acides vont permettre la digestion du yaourt mais bloquer la digestion du féculent.

Si l'organisme fait le contraire, émission de sucs alcalins, la protéine va stagner dans l'estomac et va fermenter, donc fabriquer des substances (dont l'alcool puisqu'il y a processus de fermentation) inutilisables et intoxicantes pour l'organisme.

Il va s'ensuivre dans l'un ou l'autre cas, une augmentation ponctuelle de la toxémie de l'organisme et une déperdition énergétique.

Le fait de consommer un dessert sucré en fin de repas, de loin en loin, ne gênera pas outre mesure notre organisme qui est capable de faire face à ce genre d'excès.

Le problème va se poser si cette erreur d'association alimentaire est fréquente et se perpétue de jour en jour, de semaine en semaine, de mois en mois, etc.

Cette situation engendrera obligatoirement un processus d'élévation permanente de la toxémie de l'organisme et ce dernier sera dans l'obligation de dépenser de l'énergie pour éliminer ou stocker ces substances chimiques indésirables pour lui.

Cette dépense d'énergie se fera au détriment d'une autre fonction. Exemple :

La fonction d'évacuation et d'élimination. L'enfant ou l'adulte va stocker des déchets et se retrouver dans un situation de surcharge pondérale qui entraînera à son tour d'autres perturbations (carences, problèmes osseux, déficience dans une fonction quelconque).

Ou, la fonction d'assimilation. L'enfant ou l'adulte n'aura plus assez d'énergie pour assimiler. L'organisme va fonctionner comme un tuyau : la nourriture rentre par un côté et ressort par l'autre. Rien ne sera fixé dans l'organisme : une situation de maigreur va s'installer, donc de carences. Il existe dans notre société des personnes, trop maigres et qui pourtant mangent beaucoup en quantité. En fait, elles sont en situation de carences par manque d'assimilation. Dans le pire des cas, plus elles vont absorber d'aliments, plus elles vont maigrir, ceci par manque d'énergie d'assimilation.

LES FRUITS

LES LÉGUMES

LES GRAISSES

LES CÉRÉALES

Les fruits

Les fruits se digèrent très rapidement. En règle générale, nous les consommerons seuls, dans la matinée, au petit déjeuner ou dans l'après-midi. Au pire, nous les consommerons une demi-heure avant les repas avant même de mettre le couvert. Idem pour les jus de fruits et les compotes. Il est absolument nécessaire de ne plus prendre de fruits à la fin du repas. C'est une habitude extrêmement néfaste à long terme.

En procédant ainsi, nous aurons réglé en grande partie la question vitaminique et sucre naturel.

Les légumes

Les légumes sont nécessaires pour apporter vitamines et sels minéraux. Les sels minéraux ont pour effet d'équilibrer le système acido-basique de l'organisme, en plus de leurs apports nutritionnels. Les légumes sont donc nécessaires à chaque repas sous forme de crudité ou sous forme cuite (poireaux, haricots verts, etc.).

Le mieux dans un premier temps est d'alterner.

Aux enfants, on servira les légumes en début de repas.

Pour les bébés, on pourra introduire rapidement au bout de quelques mois, les jus de fruits et les bouillons de légumes mixés. Ces aliments sont beaucoup plus essentiels pour eux au début de la vie que le steak haché, le riz ou toutes les céréales.

Quel genre de fruits et quel genre de légumes consommer ?

La nature nous offre à chaque saison ce dont nous avons besoin. Il est ridicule de consommer des courgettes, melons ou tomates le 20 décembre.

Non seulement cela est ridicule pour le porte-monnaie mais aussi pour l'organisme. Le melon par exemple est un fruit aqueux : il pousse l'été et cela tombe bien car en général il fait chaud et nous avons besoin d'eau : d'où melon, d'où tomate !

L'hiver, mon organisme a besoin de légumes et de fruits d'hiver (pommes, oranges, mandarines, carottes, céleri-rave, mâche, endives…).

Chaque fruit et chaque légume pousse à la saison qui convient à nos besoins en vitamines et sels minéraux.

Nous attendrons mars-avril pour les fraises. Puis suivront les pêches, les abricots, les brugnons, les melons, les tomates et les raisins.

Il est préférable de consommer un seul genre de fruit à la fois. C'est beaucoup plus simple pour l'organisme.

Par contre, les légumes sont compatibles entre eux.

Exemple : une soupe de poireaux, navets, carottes, ou une salade composée : salade, radis, concombre.

Les graisses

Beurre, huiles (lipides).

Les graisses sont compatibles avec les légumes. Exemple : poireaux vinaigrette.

Les graisses sont compatibles avec les féculents. Exemple : pomme de terre et beurre.

Les graisses ne sont pas compatibles avec la viande qui contient déjà des graisses (le porc en est saturé).

Il n'y a pas d'incompatibilité majeure mais incompatibilité par surcharge. Mettre un morceau de beurre sur le steak est une gageure, nous fatiguons notre organisme inutilement car ces deux lipides sont de nature différente.

Les céréales

Pain, riz, pâtes, céréales diverses (féculents).

Les céréales ont un bilan final acidifiant pour l'organisme. Elles seront donc en bonne association alimentaire avec les légumes qui, eux, alcalinisent l'organisme.

Par contre, au départ, elles ont besoin de sucs digestifs alcalinisants, contrairement aux protéines animales qui nécessitent des sucs acides.

Il y a donc une relative incompatibilité entre céréales et viandes.

Quel drame ! Que vais-je faire de ma relation culturelle aux plats suivants ?

– steak-frites ;

– jambon-purée ;

– poisson-riz ;

– côtes de porc-pâtes.

Aïe, aïe, aïe !!!

En fait, que faut-il faire ?

Eh bien, tout simplement, faire un repas à base de féculents. Exemple : carottes râpées + riz avec beurre,

ou bien à base de protéines. Exemple : soupe de légumes + poulet + haricots verts.

C'est-à-dire qu'au lieu de penser l'équilibre alimentaire sur un repas, nous allons le penser sur la journée.

PARTICULARITÉ DE CERTAINS ALIMENTS

Les fromages

– Les fromages à pâtes cuites gras (gruyère, gouda…), contiennent beaucoup de lipides malgré leur identification comme « protéine ». Ils seront donc en semi-compatibilité alimentaire avec les féculents.

– les yaourts acides seront donc aussi en semi-compatibilité avec les fruits qui contiennent déjà de l'acidité.

Les fruits secs sucrés

Dattes, raisins, abricots, figues…

Pour les enfants, ils sont essentiels pour le sucre naturel qu'ils contiennent. En leur proposant ces aliments, ils risquent de passer dans un premier temps en situation « d'overdose » ; il faut les laisser faire, ces enfants sont en train de se reminéraliser et d'équilibrer leur glycémie perturbée !

N'ayez pas peur, ils se calmeront tout seuls et en attendant, ils auront oublié les bonbons, le sucre blanc, les boissons sucrées : ils n'en auront plus besoin, ayant fait le plein de sucre naturel avec les fruits secs sucrés.

Les légumineuses

Pois chiche, lentille, haricot blanc ou rouge.

Ces aliments sont très complexes car ils contiennent beaucoup de protéines végétales et de glucides (féculents) : leur digestion n'est pas très aisée. Ils ne seront donc consommés que de temps en temps, suivant le potentiel énergétique de chacun, avec des légumes. Exemple de repas : radis + concombre, lentilles cuisinées avec oignons et carottes + salade verte.

Nul besoin de manger des saucisses car surcharge en protéines (animales + végétales).

Nul besoin de manger du pain car surcharge en féculents (pain + lentilles).

Le pain

Le pain est une céréale à part entière, donc un aliment à part entière.

Il est courant de consommer du pain avec tout : c'est une erreur. Le pain est un féculent et nous nous en servirons en tant que tel : nous le consommerons seul avec des légumes.

Le vin

Le vin, boisson alcoolisée, n'est pas recommandé pour l'organisme.

Cela dit, certaines personnes ont une relation culturelle importante avec cet aliment. Pour limiter les dégâts, si l'on ne peut s'en passer, ce qui serait mieux, ce serait de le consommer exceptionnellement durant un repas de protéines. Les protéines réclament une solution digestive acide, le vin est, lui aussi, acide.

CONSTITUTION DE L'ALIMENTATION
EN COMPATIBILITÉ ALIMENTAIRE

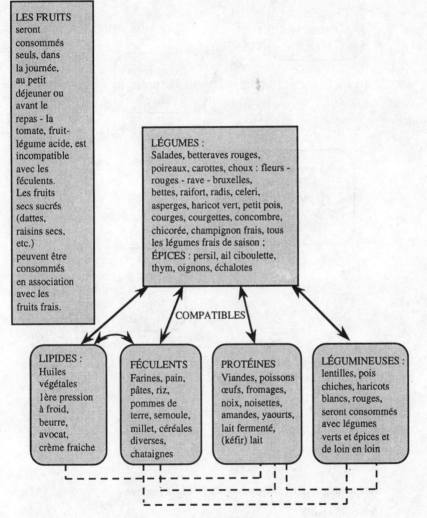

LES FRUITS seront consommés seuls, dans la journée, au petit déjeuner ou avant le repas - la tomate, fruit-légume acide, est incompatible avec les féculents. Les fruits secs sucrés (dattes, raisins secs, etc.) peuvent être consommés en association avec les fruits frais.

LÉGUMES :
Salades, betteraves rouges, poireaux, carottes, choux : fleurs - rouges - rave - bruxelles, bettes, raifort, radis, celeri, asperges, haricot vert, petit pois, courges, courgettes, concombre, chicorée, champignon frais, tous les légumes frais de saison ;
ÉPICES : persil, ail ciboulette, thym, oignons, échalotes

COMPATIBLES

LIPIDES :
Huiles végétales 1ère pression à froid, beurre, avocat, crème fraiche

FÉCULENTS
Farines, pain, pâtes, riz, pommes de terre, semoule, millet, céréales diverses, chataignes

PROTÉINES
Viandes, poissons œufs, fromages, noix, noisettes, amandes, yaourts, lait fermenté, (kéfir) lait

LÉGUMINEUSES :
lentilles, pois chiches, haricots blancs, rouges, seront consommés avec légumes verts et épices et de loin en loin

INCOMPATIBLES

PARTICULARITÉS D'ALIMENTS EN
SEMI-COMPATIBILITÉ ALIMENTAIRE

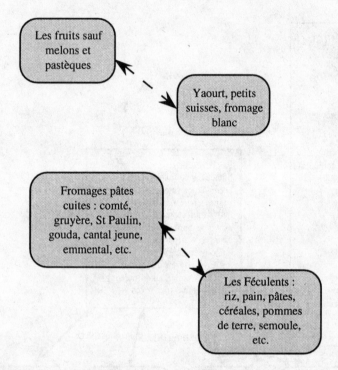

Supprimer totalement ou le plus souvent possible l'association sucre rapide/sucre lent qui est fort incompatible. C'est-à-dire :

tartines :

  pain-confiture ;

  pain-miel ;

  pain-fruit ;

  farine-sucre, dans la quasi totalité des pâtisseries !

  (eh oui, désolé !).

EXEMPLES DE REPAS POSSIBLES EN ASSOCIATIONS COMPATIBLES OU SEMI-COMPATIBLES

Petit déjeuner : 3 formules

Voici 3 possibilités alimentaires pour commencer la journée.

1. fruits frais de saison ou jus de fruit ou compote ;

2. idem et on ajoute des fruits secs sucrés : raisins secs ou abricots secs ou dattes ou figues ;

3. fruit frais + fruits secs sucrés + yaourt ou petit suisse ou lait fermenté.

La priorité est donnée aux fruits de saison. Nous pouvons nous promener dans ces 3 formules suivant la situation ponctuelle dans laquelle nous sommes mentalement et physiquement, suivant la saison, l'âge.

Ce petit déjeuner, tout comme les autres repas définis plus loin, va permettre de nourrir l'organisme tout en économisant de l'énergie de transformation chimique. Cette énergie économisée sera rapidement mise à disposition dans une autre fonction de l'organisme, suivant la demande.

Repas de midi :

– crudités de saison avec huile d'olive ou de tournesol (ou légumes cuits dans un premier temps, si la personne a des difficultés de transit)

+ un féculent : riz ou pâtes ou pommes de terre ou pain ou semoule de couscous ou sarrasin ou millet, etc., avec un peu de beurre.

+ pour ceux qui ont très faim, un morceau de fromage à pâte cuite (comté ou gruyère ou gouda, etc.).

Goûter :

– fruits frais ou fruits secs sucrés

Repas du soir :

– légumes de saison cuits à la vapeur ou soupe de légumes (sans pomme de terre)

+ une protéine : viande (blanche de préférence) ou deux à trois œufs mollets ou pochés ou à la coque) ou poisson (vapeur, papillote ou court-bouillon) ou fromage blanc (persillé ou non) ou tout simplement des noix, des noisettes ou amandes (+ une salade verte, si j'ai faim).

• *Exemple* sur une journée d'hiver

Petit déjeuner :

Pomme(s) ; si j'ai faim, j'ajoute des raisins secs et un yaourt nature

Midi :

Carottes râpées + pommes de terre cuites au four avec du beurre + si besoin, un morceau de comté.

Goûter :

Fruits frais ou fruits secs sucrés ;

Soir :

Soupe de légumes + poulet cuit au four/chou-fleur + salade verte.

Les légumes sont compatibles entre eux.

Le repas du soir pourrait être :

– soupe de légumes : poireaux, navets, carottes

– filet de poisson vapeur avec ail et persil

– chou-fleur vapeur

– salade verte

Pour agrémenter les plats, si cela est nécessaire, la nature nous offre : persil, oignons, échalotes, ciboulette, etc. Nous éviterons les fritures.

Cette proposition de mode alimentaire est une proposition de transition. Cette nouvelle façon de se nourrir va déprogrammer l'organisme d'une alimentation anarchique pour une programmation de meilleure qualité quant à ses besoins. C'est en fait un premier mode alimentaire de détoxination où l'on va jouer la carte douceur pour le corps en tenant compte des besoins culturels et affectifs de chacun.

Si certaines personnes trouvent cela difficile dans un premier temps, il faut laisser jouer la carte « soupape de sécurité » ! C'est-à-dire que le dimanche par exemple, on reviendra à une alimentation conventionnelle en se cuisinant le « petit plat préféré » dont on tient la recette de la grand-mère adorée !

Dans cette proposition alimentaire, nous donnerons la priorité systématique aux fruits et aux légumes. Pour les enfants, nous servirons d'office les légumes en début de repas ! Et ensuite le plat de féculents ou de protéines.

Petite anecdote :

– J'ai un bon ami de 35 ans qui ne voulait pas entendre parler de mes histoires alimentaires :

Whisky + cacahuètes + saucisses grillées le plus souvent possible (c'est dur de s'en passer pour certains). Un jour pourtant il osa me demander un conseil alimentaire. Il travaille dans une importante entreprise et déjeune chaque midi à la cafétéria où 2 500 repas sont quotidiennement servis. « Je ne comprends pas », me dit-il, « chaque midi, après le repas, je me sens lourd et je suis incapable de travailler sur mon ordinateur. Physiquement, j'ai envie de dormir et mentalement, rien ne marche, et ça dure 2 heures ! ».

« Ce n'est pas compliqué », lui ai-je répondu. « Dans ta cafétéria, des crudités te sont sans doute proposées, tu vas en prendre puis tu prendras soit le plat principal sans l'accompagnement, soit l'accompagnement sans le plat principal. Tu en prendras assez pour manger à ta faim ! C'est tout ». Quatre jours après, il me téléphona pour me dire : « C'est génial, depuis 4 jours, je n'ai plus de problème. Après le repas, je travaille sur mon ordinateur sans problème ! Merci ! ». J'en ai profité pour lui glisser un conseil supplémentaire : « Si à midi tu as mangé des crudités avec du riz, le soir tu peux prendre du poisson avec une soupe ! ».

Avec cet ami, j'ai poussé mon raisonnement plus loin :

1. ils sont 2 500 à déjeuner chaque midi dans cette cafétéria ;

2. hypothèse : 1 000 d'entre eux vivent les mêmes problèmes digestifs quotidiennement ;

3. calcul : 2 heures de travail perdues par 1 000 personnes = 2 000 heures de travail perdues quotidiennement dans cette entreprise pour une simple erreur alimentaire ;

4. si un jour je rencontre le directeur financier de cette entreprise et que je lui explique la situation, il va tomber de haut, le pauvre !

LES POMMES DE TERRE

C'est sans doute le féculent le moins encrassant de tous, le plus simple pour les enfants. Exemple de préparation :

1. pommes de terre moyennes, les laver avec la peau ;

2. les couper en deux ;

3. les mettre dans un four telles quelles 20 à 30 minutes.

La pomme de terre va se griller légèrement sur le dessus, les enfants peuvent la prendre avec la main et s'en servir comme le pain avec des carottes râpées par exemple.

LES CRUDITÉS

Essayez de les préparer au dernier moment. Ne les noyez pas dans la vinaigrette. Préparez cette dernière à part pour que chacun puisse mettre la quantité désirée. En effet, certains enfants préfèrent les crudités sans assaisonnement. Le citron est préférable au vinaigre, l'idéal étant simplement un filet d'huile de bonne qualité (première pression).

– En tout cas, présentez joliment votre plat ! Car l'amour de la personne qui a préparé le repas passe dans les aliments. C'est aussi important que l'aliment lui-même.

LES TARTES AUX LÉGUMES

Féculents + légumes = association compatible ;

Exemple :tarte aux poireaux ou aux oignons (ne rajoutez pas de lardons qui contiennent du sucre rapide).

Pour ceux qui trouvent le moyen de ne pas avoir le temps de manger le midi :

Carottes lavées (épluchées si pas bio) à croquer telles quelles (si toutefois vos dents vous le permettent) + pain complet bio

+ Fromage de Comté.

L'AMBIANCE

– Evitez de régler les conflits personnels pendant les repas, cela coupe l'appétit et entrave la digestion... qu'on se le dise !

– N'avalez pas votre repas ! Mâchez et restez tranquille !

– Pour ceux qui en ont la possibilité, allongez-vous un quart d'heure après le repas de midi, relax ! Votre foie vous en sera reconnaissant !

Notre intention n'est pas de vous transformer en ascète, ni même de vous astreindre à « un régime ». C'est bien plutôt une hygiène alimentaire que nous vous invitons à essayer. Ce nouveau mode d'alimentation permettra à votre organisme un début de nettoyage et d'élimination. Mais ce processus ne doit en aucun cas s'accompagner de sentiments de frustration et de privation.

Or rien n'est plus difficile que d'abandonner des habitudes et des réflexes acquis dans la petite enfance et développés par toute une éducation.

Le meilleur moyen consiste, non pas à supprimer, mais à REMPLACER ces vieilles habitudes, ces réflexes néfastes à votre santé, par des comportements qui vous apporteront plus de bien-être et de plaisir.

Par exemple, préférez les infusions de tisanes au café, le miel à la confiture, les protéines végétales (céréales, noix, éventuellement légumineuses) aux protéines animales.

Evitez les fritures et les sauces compliquées. Redécouvrez les saveurs des aliments naturels préparés simplement : crus ou cuits sans excès (à la vapeur, à l'étouffée).

MISE EN GARDE

Maintenant, nous pensons indispensable de vous mettre en garde si vous suivez ces conseils. Pourquoi ? Si vous êtes en bonne santé, bonne énergie, faible toxémie, en vous nourrissant de cette façon, vous allez décupler votre santé, votre énergie, tout en maintenant ou en réduisant votre toxémie.

Mais si vous avez une forte toxémie qui a réduit votre potentiel santé et énergie, cette alimentation va permettre à votre organisme de se nourrir et d'économiser des forces qui seront immédiatement affectées à la fonction d'élimination toxémique. Donc vous risquez de passer par des phases de désintoxication dont les symptômes sont décrits au début de ce livre.

Alors attention de ne pas aller trop vite, et surtout de mal analyser la situation et de dire : « J'arrête de manger de cette façon car cela me rend malade ». C'est exactement le contraire. Cette alimentation va permettre à votre organisme de se nettoyer et de se remettre en ordre.

EXEMPLES DE MENUS SUR UNE SEMAINE, RENOUVELABLES, DE DÉSINTOXICATION AVEC ALIMENTS COMPATIBLES ET SEMI-COMPATIBLES

1er jour

Petit déjeuner :

1 ou 2 pommes, 2-3 figues sèches trempées dans l'eau 1/2 heure avant, 1 yaourt nature.

Midi :

carottes râpées avec huile de tournesol ou olive, riz avec beurre : du vrai beurre (non allégé !)

1 morceau de fromage (choisir une pâte cuite : Comté, ou gruyère, ou Saint Paulin, ou Gouda ou Edam).

Goûter :

biscottes beurrées

Soir :

soupe de légumes : carottes + poireaux + navets
poissons (vapeur ou court-bouillon ou papillote)
salade verte

2e jour

Petit déjeuner :
1 ou 2 oranges, 1/2 verre raisins secs trempés,
1 ou 2 petits suisses nature

Midi :
salade d'endives
pommes de terre cuites au four
un peu de beurre
fromage : un de ceux cités le premier jour

Goûter :
raisins secs

Soir :
Chou-fleur vapeur
2 œufs mollets ou pochés
1 salade de mâche

3e jour

Petit déjeuner :
1 ou 2 poires, 4-5 abricots secs trempés
1 yaourt

Midi :
céleri-rave en salade
pain complet bio
1 morceau de fromage (voir 1er jour)

Goûter :
biscottes beurrées

Soir :
carottes cuites vapeur (ail, persil)
poulet cuit au four
mâche, ou endive, ou sucrine (salade)

4e jour

Petit déjeuner :
3-4 mandarines, 4-5 dattes,
1 yaourt

Midi :
radis noir en salade
pâtes au beurre
1 morceau de fromage (voir 1er jour)

Goûter :
Quelques dattes

Soir
1 soupe de légumes : poireaux, céleri, carottes
fromage blanc persillé
1 salade de saison

5e jour

Petit déjeuner :
1 ou 2 pommes, 4-5 abricots secs trempés,
2 petits suisses

Midi :
chou rouge en salade
tarte aux légumes

Goûter :
biscottes beurrées

Soir :
betteraves rouges
poisson
poireau cuit vapeur

6e jour

Petit déjeuner :
1 ou 2 oranges, 1/2 verre de raisins secs trempés
1 yaourt

Midi :
un avocat nature
riz avec un peu de beurre
1 morceau de fromage (voir 1er jour)

Goûter :
abricots secs

Soir :
brocolis
fromage blanc nature ou persillé
1 salade d'endives

7e jour

Petit déjeuner :
1 ou 2 poires, 3-4 figues trempées,
2 petits suisses

Midi :
1 salade de carottes râpées
pommes de terre cuites à l'eau
un peu de beurre
1 morceau de fromage (voir 1er jour)

Goûter :
biscottes beurrées ou figues

Soir :
soupe de légumes
dinde cuite au four
1 salade de saison

Remarque :
– ail/persil, ciboulette, à utiliser pour agrémenter suivant les goûts.
– on peut interchanger les petits déjeuners, repas de midi et du soir suivant les possibilités du réfrigérateur.
– eaux conseillées : Volvic, Monts Roucoux ou autres eaux d'un PH ≈ 7.

Ce mode alimentaire est établi pour l'hiver. Durant les autres saisons, il faut remplacer les fruits et légumes par ceux en cours.

La diversité des aliments proposés tient compte de notre mode culturel de fonctionnement – pour ceux qui ne veulent pas trop cuisiner, il est possible de garder plusieurs jours de suite les mêmes aliments à chaque repas.

Ci-jointe une feuille d'évaluation de votre état de santé et de votre état énergétique.

Dans le cas où vous vous découvririez une forte toxémie, il faudrait envisager un travail plus conséquent en utilisant d'autres modes alimentaires qui s'enclenchent mécaniquement au premier mode cité plus haut. Mais cela ne pourra se faire qu'avec un hygiéniste confirmé, qui tiendra compte de plusieurs facteurs :

– toxémie de l'organisme ;

– potentiel énergétique ;

– activité professionnelle ;

– situation affective ;

– adaptation et compréhension de l'entourage ;

– adaptation et compréhension du repas de midi en fonction des situations professionnelles (cantine, cafétéria, restaurant, etc.) ;

– adaptation aux loisirs (sportif ou autre), à vos goûts alimentaires personnels.

DATE	POIDS	POULS		LANGUE	HALEINE	URINE	SELLES
		matin	soir				

YEUX	SOMMEIL	FROID	DIVERS	NOM :
				POIDS : se peser chaque jour, au même moment, dans les mêmes conditions.
				LANGUE : rose ou blanche (+) ou (++) ou (+++)
				HALEINE : bonne mauvaise
				URINE : claire jaune jaune foncée
				SELLES : liquide molle normale dure journées sans selles inscrire « néant »
				YEUX : vue normale (ok) trouble mieux
				SOMMEIL : mauvais moyen bon très bon (tb)
				FROID : oui oui nuit non
				DIVERS : noter les différences par rapport à la normale, si nécessaire

87

Pour ceux qui ont effectué une démarche vers la macro-biotique, ils peuvent remplacer les féculents du midi par du riz complet, du sarrasin, millet, pilpil ou autres céréales.

Pour ceux qui ne mangent pas de viandes, ils peuvent consommer le soir des noix, ou noisettes, ou amandes, trempées 12 heures avant dans l'eau et dans leurs coques.

Si toutefois, au cours de cette réflexion pratique sur l'alimentation, qui peut durer 2 à 3 semaines, vous êtes invités chez des amis ou parents ou au restaurant, ne les ennuyez pas avec votre mode alimentaire ! Vous risquez de leur couper l'appétit, de les stresser et vous aussi par la même occasion ! Donc, cette fois-là, passez une agréable soirée à manger ce que l'on vous propose sans faire d'excès. Dès le repas suivant, reprenez votre mode alimentaire tranquillement. La réflexion et la compréhension ne peuvent se faire en un jour.

C'est une démarche strictement personnelle, la tolérance envers soi-même et envers les autres est indispensable !

LES PRODUITS BIO

J'entends souvent la réflexion : un produit alimentaire peut-il être réellement bio, compte tenu de tous les produits chimiques déversés par les agriculteurs non-bio dans la terre ?

Il faut d'abord savoir que le corps humain n'a pas de réponse génétique face à un produit de synthèse chimique, et cela depuis toujours. L'être humain est conçu pour absorber les produits chimiques organiques vivants. Lorsque je mange une grappe de raisin, je vais absorber et assimiler de l'eau, des sucres rapides, des sels minéraux, des vitamines, des protéines, des lipides. Ces composés chimiques naturels vont travailler en concordance, s'aider mutuellement pour leur assimilation. Si je rajoute, au niveau de la culture, des produits de synthèse sur la plante et dans la terre, elle va les assimiler et nous allons les absorber à notre tour. L'organisme humain n'ayant pas de réponse face à ces produits dont il n'a besoin ni pour sa croissance, ni pour son entretien, va donc les stocker, ou bien il sera dans l'obligation de dépenser de l'énergie pour les évacuer. Dans ce cas comme dans l'autre, il sera obligé de réagir face à cette perturbation momentanée. Mais avec quelles conséquences ?

Prenons le cas des œufs provenant d'élevages industrialisés. On supprime le temps de sommeil des poules pour qu'elles pondent plus. En règle générale, une poule à qui on supprime son biorythme naturel nuit-jour, ne vit que quelques semaines. Elle ne survivra à ce régime que grâce à un apport chimique de synthèse important : antibiotiques, vaccins. Ces produits se retrouveront obligatoirement dans les œufs, à dose bien sûr infimes, homéopathiques, dirai-je. Si nous ne consommions qu'une fois par an des œufs, cela ne serait pas bien grave, car l'organisme aurait les moyens d'éliminer les intrus pour sa sauvegarde. Le problème, c'est la répétition dans la consommation de ce genre de produit : sous forme d'omelette, de gratins, de pâtisseries, d'œufs durs, à la coque…

Notre organisme doit donc faire face régulièrement à un apport infime certes, mais continu de résidus chimiques.

Que faire ?

1ère solution : consommer des œufs de ferme si nous en trouvons facilement.

2ème solution : acheter des œufs biologiques

3ème solution : continuer à consommer des œufs industriels mais peut-être en ralentir la consommation.

Dans cette troisième alternative, le plus important est de prendre conscience de la qualité des produits que l'on nous vend. On ne peut pas d'un seul coup tout changer. Ce qui est important dans un premier temps, c'est la réflexion individuelle, la démarche de pensée de chacun. Et un jour, lorsque beaucoup d'entre nous émettront la même pensée, les choses changeront d'elles-mêmes, vers une meilleure qualité de vie.

Il est vrai qu'il existe des champs cultivés biologiquement parfois entourés de champs saturés de produits chimiques. Beaucoup d'entre nous se posent des questions sur la qualité réelle des produits bios dans ce cas-là. C'est une réflexion qui est juste. A côté de cela, il faut savoir que la consommation de produits non-traités augmente en quantité de 20 % par an. Pour ma part, j'espère que nos enfants, à l'âge adulte, grâce à tout ce travail actuel, de réflexion, de compréhension, grâce à des méthodes de culture agricole différente qui se mettent tout doucement en place, auront une qualité de vie alimentaire meilleure que maintenant.

LE PORTE-MONNAIE

Les aliments de qualité, non traités, coûtent plus cher que les autres aliments.

En prenant conscience de notre relation avec l'alimentation, en effectuant un travail sur la compatibilité des aliments, on s'aperçoit vite que le traditionnel repas avec entrée, plat principal + accompagnement + salade + fromage + dessert, n'est pas tout à fait utile au quotidien ; non seulement il n'est pas utile mais la diversité va entraîner une surcharge alimentaire et des incompatibilités majeures qui vont intoxiquer l'organisme.

Notre corps profitera beaucoup mieux d'un repas avec une bonne assiette de carottes râpées suivi d'une bonne assiette de pommes de terre écrasées avec un peu de beurre, plutôt que d'un repas avec un peu de carottes râpées + une côte de porc + un peu de purée + un peu de fromage + une glace, tout ça arrosé d'un peu de vin. Ce genre de repas fait appel, non pas à un besoin physique, mais à une habitude culturelle. Ces repas extrêmement composés peuvent exister à titre exceptionnel : repas de famille, ou de fête. Si ce n'est pas nécessaire physiquement, ça l'est culturellement. Dans ce cas, à chacun de négocier avec lui-même.

En consommant un repas à base de légumes + féculent ou légumes + protéines, non seulement nous nourrissons notre corps, nous l'entretenons quant à ses besoins, mais nous économisons de l'énergie qui sera immédiatement disponible ailleurs. C'est tout bénéfice ! De ce fait, nous ouvrirons beaucoup moins souvent le porte-monnaie car, tout en ayant de quoi manger, l'économie financière ainsi réalisée peut être utilisée dans l'achat d'aliments de qualité.

COMMENT RECONNAÎTRE LES FRUITS ET LES LÉGUMES DE SAISON ?

« Je suis né dans une ville et j'ai toujours été citadin, je ne connais rien quant aux dates saisonnières de culture des fruits et des légumes ! ».

Même si l'on n'est pas agriculteur, ce n'est pas compliqué !

Lorsque vous faites votre marché et que vous voyez sur tous les étalages des haricots verts en vrac, à des prix très bas, vous pouvez vous dire : « Tiens, cela doit être l'époque des haricots verts ! ». Vous les achèterez dans leur saison, à des prix raisonnables.

Si, au cours d'un autre marché, vous ne voyez qu'un seul étalage avec quelques barquettes de fraises qui se battent en duel, à des prix tellement prohibitifs qu'Elliot Ness aurait encore du travail, là, il ne faut pas en acheter. Ce n'est pas la saison, et vous ferez plaisir à votre porte-monnaie.

L'éco-système dont l'homme fait partie est bien organisé : au printemps les fraises arrivent, suivies des cerises, suivies des pêches, des brugnons, des abricots, puis des melons et des pastèques ; à l'automne, ce sont les raisins, les poires, les pommes, les oranges, les mandarines qui viennent terminer l'année.

Et c'est chaque année pareil !

La nature nous apporte les vitamines, les sels minéraux dont nous avons besoin à chaque moment de l'année.

Pourquoi se compliquer la vie en mangeant des oranges en plein été et du raisin au mois de février ?

En se remettant en harmonie et en phase avec notre écosystème, nous éviterons bien des désagréments physiques personnels.

Mêmes remarques pour les légumes.

CUITS OU CRUS ?

Lorsque l'on fait bouillir de l'eau, que l'on y jette les haricots verts pour les cuire, et qu'ensuite on jette l'eau de cuisson, on jette en même temps tous les sels minéraux contenus dans ces mêmes haricots verts. En effet, les sels minéraux sont très solubles dans l'eau et nous supprimons ainsi un potentiel nutritionnel nécessaire à l'être humain.

Cuire les légumes à la vapeur et à feu doux conviendra beaucoup mieux : les sels minéraux resteront concentrés dans les légumes.

Pour les compotes de fruits, nous pourrons ajouter un peu d'eau, mais pas de sucre. Le fruit en contient déjà naturellement.

Les casseroles et les poêles en aluminium sont à éviter. A force, l'aluminium se détache et passe dans les aliments que nous consommons. Les ustensiles émaillés conviendront mieux.

Pour les poissons, viandes, crustacés, évitez les fritures. Préférez la cuisson à la vapeur, en court-bouillon ou en papillote.

Les vitamines ne supportent pas la chaleur. Les légumes que nous pouvons consommer crus seront préférables à ces mêmes aliments cuits (sauf en cas de colite).

BON APPÉTIT.

EN VRAC

–Les apéritifs sont vraiment nocifs : à supprimer !

– les produits allégés sont une vaste escroquerie pour l'organisme, achetez du bon beurre cru, des huiles de qualité.

– les succédanés du sucre, édulcorants, idem : l'organisme n'a aucune réponse génétique envers les produits chimiques de synthèse.

– le café au lait, c'est un Waterloo chimique dans l'estomac à chaque fois, ensuite cela devient Hiroshima, mais pas mon amour :

autant boire un verre de gas-oil, cela fera le même effet à notre organisme.

– les tisanes ne sont pas des boissons, ce sont des médicaments : à consommer avec prudence.

– les fruits et les légumes biologiques ne sont pas traités chimiquement.

– n'oubliez pas que notre société a énormément développé la chimie dans l'agriculture (ce qui n'a pas l'air très rentable d'ailleurs car les paysans se plaignent économiquement). De plus, les sociétés agro-alimentaires rajoutent beaucoup de produits chimiques ! Où allons-nous ?

– à fuir ; les huiles courantes du commerce et autres margarines chauffées, qui très nocives, font monter le taux de cholestérol par leur forte teneur en acides gras saturés et mono-saturés ; achetez plutôt des huiles de première pression à froid, dans des magasins diététiques spécialisés (c'est plus cher, mais vous en consommerez moins, puisque vous éviterez les fritures).

– vos enfants ne sont pas fous, s'ils ont faim ils mangent, le jour où ils n'ont pas faim, ne les forcez pas, cela correspond à un besoin physiologique momentané.

– les boissons sucrées et chimiques ne sont pas nécessaires, le meilleur moyen de s'en passer, c'est de ne pas en acheter.

Les vitamines et les sels minéraux se trouvent dans les fruits et les légumes, pas dans les pharmacies, à moins que cette pharmacie ne s'appelle épicerie.

Je rencontre beaucoup de personnes qui se sont mises en situation d'overdose de produits de synthèse, style magnésium en ampoule ! Lorsque j'étais enfant, on me shootait à l'huile de foie de morue, au Moyen Age, la mode était à la fiente de poule et à la bave d'escargot ! Cherchez l'erreur !

INTERMÈDE

… pour montrer l'influence de l'alimentation sur
le mental et l'émotionnel…

« Dis-moi ce que tu manges,
je te dirai qui tu es. »

Anonyme

« Il nous faut admettre pleinement le rôle des
émotions dans les maladies organiques. »

Wilhehm Reich
La biopathie du cancer

LE PSYCHOSOMATIQUE

Avant de prendre connaissance de ce paragraphe, reportez-vous aux pages consacrées aux échanges d'énergie dans l'organisme.

Vous y constaterez que les fonctions mentales et émotionnelles sont des facteurs importants de dépense d'énergie. En situation de stress ou de gros travail intellectuel, le mental captera beaucoup d'énergie. Si à ce moment-là, je consomme des aliments qui demandent eux aussi beaucoup d'énergie de transformation, ou bien des aliments en mauvaise association alimentaire comme de la choucroute alsacienne, du petits salé aux lentilles ou du couscous-merguez, mon organisme ne saura qu'en faire, n'ayant pas assez de force pour en assurer la transformation chimique. Cette surcharge induira un processus de fermentation et, à moyen terme, la fonction d'élimination toxinique sera perturbée. Ainsi un mental qui fonctionne trop souvent en situation de stress, ajouté à une alimentation inadaptée, va augmenter la toxémie de l'organisme.

STRESS = difficulté de digestion, d'assimilation, d'élimination.

Augmentation de la TOXÉMIE = dépassement du seuil de saturation TOXÉMIQUE = SYMPTÔME de maladie.

La tête et le corps ne forment qu'une seule et même unité. Est-ce la bonne réponse que de les dissocier en permanence ? Lorsque le problème est encore simplement au niveau mental, on peut consulter un psy...

Mais si un mental perturbé entraîne une toxémie en saturation, qui à son tour entraîne une maladie, la réponse ne peut être seulement psy !

A problème mécanique, réponse mécanique, en particulier : alimentaire.

SI L'ORGANISME EST CAPABLE DE DÉVELOPPER UNE MALADIE QUELCONQUE, IL EST CAPABLE AUSSI DE S'EN DÉBARRASSER...

A CONDITION QU'ON LUI EN DONNE LES MOYENS.

Quant au mental et à l'émotionnel, ils peuvent parfois se travailler simplement en BIORESPIRATION (voir page 111).

Il ne faut pas oublier que le cerveau est un ordinateur mais aussi un organe comme les autres, nourri par les nutriments apportés par l'alimentation et véhiculés par le sang. Si le sang, qui sert aussi à nettoyer les organes en transportant les déchets cellulaires vers les reins et les poumons, est saturé de toxines, le cerveau sera mal irrigué, ce qui entraînera une augmentation des troubles ou des stress déjà existants. La personne deviendra de plus en plus excitée/excitable, les problèmes relationnels ne pourront que s'amplifier : processus somato-psychologique qui est à méditer quand on l'applique au cas des enfants scolarisés. Dans cette période de la vie où le cerveau est constamment sollicité pour emmagasiner des connaissances, une alimentation adaptée est un facteur d'équilibre particulièrement important.

Conclusion

Le choix d'un mode d'alimentation aura des répercussions chimiques diverses dans l'organisme. Nous consommons en moyenne, dans une vie 18 tonnes de nourriture. Ce sont 18 tonnes de chimie organique vivante, nécessaire à l'homme. Dans notre société qui prend trois ou quatre repas par jour, si ces 18 tonnes sont mal pensées et mal utilisées, des troubles divers s'ensuivront obligatoirement.

NOUS SOMMES LE PROPRE ARCHITECTE DE NOUS-MÊMES, DE NOTRE SANTÉ OU DE NOTRE MALADIE, SUIVANT LE CHOIX DE NOTRE MODE DE VIE.

Hyppocrate, le père des médecins, disait déjà 400 ans avant J-C : « Que l'aliment soit ton seul remède ». Si Hyppocrate avait eu Bac + 7, peut-être l'écouterions-nous un peu plus ! Mais les progrès techniques du XXe siècle ont fait de nous des assistés et aujourd'hui, l'être humain se sent déresponsabilisé de tout, y compris de sa santé.

Tant que cet être humain recherchera la solution de ses problèmes à l'extérieur de lui, je pense qu'il sera dans l'erreur et que ces mêmes problèmes augmenteront, car la réponse est toujours à l'intérieur de nous. Il n'existe pas au monde deux personnes identiques. Le fait de définir, de calculer, d'encercler, de chiffrer le même symptôme ne nous apportera pas de solution, puisque ces symptômes, apparemment identiques d'une personne à l'autre, seront quand même deux symptômes différents, puisque chaque individu est différent, dans son mental, dans son vécu, dans son énergie et dans son potentiel héréditaire. A ce sujet, j'aimerais vous proposer une définition de l'hérédité, car j'entends souvent : « C'est sans doute héréditaire, on n'y peut rien ! ».

Des prédispositions héréditaires, nous en avons tous à l'état latent. Ma voiture a des prédispositions pour rouler, mais il faut d'abord que je tourne la clé de contact pour mettre le moteur en marche.

Qu'est-ce qui fait, dans ma vie, à un moment ou un autre, que la clé de contact « prédispositions héréditaires » va être tournée ? Quel est mon mode de vie qui oblige mon organisme à appuyer sur le bouton rouge « prédisposition héréditaire enclenchée » ?

Est-ce le microbe ou le virus ?

Prenons l'exemple d'une famille de cinq personnes qui vivent ensemble sous le même toit, prennent leurs repas à la même table, etc. L'une d'entre elles attrape le virus de la grippe ! Le virus de la grippe est très contagieux, la distance de contagion a été évaluée à 2,50 m d'une personne à l'autre.

vingt-quatre heures après, sur ces cinq personnes, deux vont être alitées avec de la fièvre, des courbatures, etc. Et les trois autres vont continuer leur vie normalement. Si le microbe ou le virus était la cause directe déclenchante de la maladie, les cinq auraient dû être malades.

Pasteur sur son lit de mort a dit à ses assistants :

« Le microbe n'est rien, c'est le terrain qui est tout ». Que voulait-il dire ?

Les deux personnes de cette famille qui ont développé la maladie avaient en fait un terrain de faible énergie et de forte toxémie. Dans ce cas, l'organisme n'a pas la possibilité énergétique suffisante pour mettre immédiatement et rapidement la fonction immunitaire en marche. L'intrus va donc s'installer et faire son travail.

Pour les trois autres, elles ont eu aussi la grippe puisqu'elle est contagieuse, mais leur réponse immunitaire a été efficace et instantanée, leur système de défense a immédiatement neutralisé le virus ou microbe en question. En fait, elles ont eu la grippe sans s'en apercevoir.

Personnellement, je pense que les microbes existaient bien avant l'arrivée de l'homme sur la terre. Ils font partie de l'écosystème comme nous.

Pourquoi la nature aurait-elle développé des bons microbes ?

– ceux que l'on trouve dans le fumier par exemple, que l'on enfouit sous la terre et qui permettent à celle-ci de se nourrir et de nous fabriquer de belles carottes ?

– ceux que l'on trouve dans la flore microbienne intestinale, par milliards, essentiels pour la dernière transformation et le passage des nutriments dans le corps.

... et des mauvais microbes ?

Ceux qui nous feraient du mal, en développant des maladies ?

Non, la nature n'a pas d'état d'âme !

A nous de réfléchir et de réapprendre à vivre en bonne intelligence avec ces microbes sachant que si je pollue mon organisme, celui-ci va diminuer ou perdre ses capacités de défense.

En conclusion, je dirais que notre société donne beaucoup d'importance à la propreté EXTÉRIEURE du corps :

– dentifrice à outrance pour avoir les dents blanches, mais comment les dents sont-elles nourries ?

–savon à outrance pour la peau, mais à quoi sert le sébum, matière grasse que le corps répand sur la peau ?

– coton tige à outrance pour nettoyer les oreilles, mais à quoi sert donc le cérumen ?

– déodorant sous les bras, mais à quoi sert la transpiration et pourquoi certains ont-ils une transpiration si malodorante ?

– chewing-gum bonne haleine, mais pourquoi aurions-nous a priori une mauvaise haleine ?

– désodorisant pour WC, mais pourquoi les selles devraient-elles sentir mauvais ?

Il serait temps de s'occuper de la propreté INTÉRIEURE de l'organisme. C'est elle qui régit le corps dans son entier, pas le savon.

Je vous laisse le soin de méditer sur ces quelques réflexions et de changer de mode de pensée par rapport à la maladie. La fatalité de la maladie est passée dans les mœurs de notre société. Faire un infarctus à 38 ans, c'est presque normal, « il n'a pas eu de chance, celui-là ! ».

Les maladies infantiles sont aussi passées dans les mœurs. Je répète : « la maladie est un signal que notre corps nous adresse lorsque nous allons à l'encontre des lois naturelles qui nous régissent ».

Réfléchissons donc à ces lois.

LA SURCHARGE PONDÉRALE
ET
LA BIORESPIRATION

La surcharge pondérale peut être tout simplement une cause de surcharge alimentaire et de mauvaises associations alimentaires. Dans ce cas, la personne va rapidement et tranquillement perdre le poids en excès par les modes alimentaires de désintoxication.

La fonction d'élimination va donc très vite se rétablir grâce à l'alimentation compatible.

Cette surcharge peut être aussi, non pas la cause, mais la CONSÉQUENCE d'affaiblissement de certains organes vitaux. Dans ce cas, avant de s'occuper du poids en excès, l'organisme va d'abord effectuer le travail de remise en bon état mécanique du foie, des reins, des poumons entre autres. Ce n'est qu'ensuite qu'il pourra s'occuper du poids en excès. On ne peut pas, dans ce cas, aller plus vite que la musique !

J'écris ces quelques lignes suite à un troisième entretien avec Madame P. : 68 ans, veuve, 1,65m, 89 kg.

ELLE : « Monsieur, j'ai failli ne pas revenir vous voir car je n'ai perdu que 3 kg depuis deux mois et je suis venue vous voir au départ pour maigrir !

Moi : « Ah ! Chère madame, si mes souvenirs sont exacts, la première fois que vous êtes venue me voir, vous étiez insomniaque depuis le décès de votre mari, il y a cinq ans, et vous preniez depuis cinq ans du témesta et du tranxène, tout en écoutant la radio à deux heures du matin, puis à quatre heures du matin. Où en êtes-vous maintenant ?

ELLE : « Ah oui, c'est vrai ! Depuis quelques temps, j'ai retrouvé le sommeil, je peux même dire que je dors comme un bébé ! et en plus je ne prends plus rien pour dormir ni pour mes angoisses ».

MOI : « Ah ! Ne m'aviez-vous pas dit au départ que vous étiez boulimique, que vous passiez votre temps à manger, seule chez vous toute la journée ? ».

ELLE : « Ah oui, c'est vrai ! Maintenant ça va mieux ! Ce que j'ai à manger au cours des repas me suffit amplement, le reste du temps, je n'ai pas faim ! ».

MOI : « Ah ! »

ELLE : « De plus, j'ai remarqué que je ne m'angoisse plus comme avant. J'ai mon fils aîné, 40 ans, qui vient d'être mis au chômage et il est très perturbé ! Avant, j'aurais mal accusé le coup, alors que là, ça m'embête beaucoup mais j'arrive à faire face sans m'effondrer ! »

MOI : « Ah ! » (dernier Ah !)

Ce n'est qu'à la suite de cet entretien que Madame P. a compris que son organisme ne pouvait tout faire à la fois ! Il a réglé dans un premier temps les perturbations essentielles et chroniques qui la gênaient dans son fonctionnement et maintenant, il va pouvoir, en toute énergie reconquise, s'occuper de la surcharge pondérale.

Madame P., au cours des semaines qui ont suivi, a progressivement et en douceur, perdu une dizaine de kilos, et s'est retrouvé une nouvelle énergie et joie de vivre qu'elle avait perdues.

Madame P. avait perdu le sommeil suite au décès soudain de son mari, cinq ans auparavant. Pour faire « bonne figure » devant ses enfants, elle ne s'était pas permis de « craquer », c'est-à-dire d'évacuer ses émotions naturelles par le pleur et les avait stockées.

Des émotions de ce genre, trop longtemps contenues, vont dans beaucoup de cas, développer des problèmes d'insomnie.

Ces tensions émotionnelles ont été évacuées chez Madame P., grâce à un exercice de biorespiration.

La BIORESPIRATION consiste à suroxygéner l'hypothalamus, notre cerveau émotionnel. Elle entraîne des libérations émotionnelles, la suppression des tensions corporelles récentes ou anciennes. Cette pratique favorise l'acquisition de la maîtrise de soi et l'accession au plein épanouissement. Elle est vivement recommandée à toute personne, et particulièrement à celles présentant des troubles du comportement, ces derniers occasionnant des pertes d'énergie considérables dans l'organisme, facteur de troubles physiques et psychologiques ultérieurs.

Au cours d'une séance, Madame P. a pleuré : elle s'est enfin permise, devrais-je dire, de pleurer. C'est à la suite de cette séance qu'elle a passé la première nuit de sa vie depuis cinq ans à dormir comme un bébé, (ce fut son expression) de 9 h du soir à 9 h du matin.

Il est bien entendu que ce cas n'est qu'un exemple et que tout le monde ne pleure pas obligatoirement en biorespiration.

Dans certains cas, cet exercice d'hyperventilation aura tout simplement un effet de distension sur les parois vasculaires pour une meilleure circulation.

Si la cause de l'hypertension est le stress, cet exercice permettra d'évacuer des tensions mentales, source de problèmes.

Dans tous les cas, nous ne pourrons faire l'impasse sur le changement de mode de vie alimentaire.

CHAPITRE III

« Aliments trop raffinés tels que farine et sucre blancs, [...]
huiles extraites à chaud, excès de viande, pauvreté des
rations en légumes et fruits crus, qui nous apportent des
vitamines, des minéraux et des fibres végétales
indispensables à une fonction intestinale normale, telles
sont les erreurs les plus courantes que nous commettons
quotidiennement [...].

Les désordres de santé les plus divers, fonctionnels ou
organiques, ont pour cause première un affaiblissement de
notre organisme, de son immunité, dû à notre
malnutrition ! »

Dr. Kousmine

Sauvez votre corps,
éd. R. Laffont

LES PERTURBATIONS PERMANENTES CHEZ LES ENFANTS

Comment expliquer les angines, les rhino-pharyngites, les otites et les sinusites que certains enfants déclarent sans arrêt ?

Nous dirons que lorsque l'organisme d'un enfant est au seuil de la saturation toxémique, son organisme se sert des zones d'ouvertures naturelles, nez, bouche, oreilles, pour évacuer ces déchets représentant la « goutte d'eau qui fait déborder le vase ».

Ces crises catarrhales sont provoquées par une indigestion gastro-intestinale, qui se surajoute souvent à une toxémie déjà fortement présente et causée le plus souvent par l'absorption en trop grande quantité de féculents : pain, pâtes, gâteaux, riz...

Cette surcharge toxémique se reconnaîtra par l'évaluation des onze signes cités au chapitre I. C'est alors que l'on pourra intervenir, avant que le symptôme ne se déclenche.

Et nous interviendrons en supprimant ces féculents qui provoquent les dégâts. L'effet sera immédiat : réduction de la toxémie et recharge énergétique venant faciliter les diverses fonctions du corps.

Si la réponse a trop tardé, l'enfant développera le symptôme avec de la fièvre. Dans cette situation, l'enfant n'a pas faim. Suivant son âge, il sautera des repas tant qu'il aura de la fièvre, c'est-à-dire qu'il consommera uniquement de l'eau, en attendant que son organisme réduise sa toxémie.

Cette phase peut durer de quelques heures pour le bébé à 2-3 jours chez un enfant plus grand.

En procédant ainsi, la température du corps reviendra rapidement à la normale une fois que la fièvre, premier remède naturel, aura fait son travail de neutralisation des bactéries proliférantes.

Très vite, en général, après 12 – 24 – 48 heures maximum, la fièvre tombera et il se peut à ce moment-là que votre enfant n'ait toujours pas faim ! Ne pas s'inquiéter. Son organisme réclame encore un peu de repos pour finir son travail de désintoxication.

Vous verrez alors l'enfant, qui n'a toujours pas faim mais qui n'a plus de fièvre, jouer sur le tapis du salon, de bonne humeur, ou s'amuser à sauter du lit jusqu'au milieu de sa chambre en essayant d'améliorer son record !

Au bout de 24 à 72 heures maximum, l'enfant retrouvera appétit et besoin de faire le plein.

– Plusieurs formules alimentaires seront alors possibles. Cela dépend de chacun, de leur âge et c'est aux parents d'apprendre et de vérifier ce qui convient le mieux à leur enfant à ce moment-là :

	1ère formule	2e formule	3e formule
Matin	fruits frais ou jus de fruit ou compote	lait maternel ou lait de soja ou lait de vache	fruits frais + yaourt nature
Midi	soupe de légumes mixés semi-liquide	soupe	soupe épaisse
Goûter	fruit ou compote	fruit ou compote	fruit ou jus de fruit + quelques fruits secs
Soir	soupe de midi + yaourt nature ou petit suisse ou fromage blanc	soupe + lait du matin ou fromage blanc	soupe + fromage blanc ou jaune d'œuf

Il est bien entendu que vous ne redonnerez pas, dans l'immédiat, des gâteaux ou du riz. Les mêmes causes produisant les mêmes effets, votre enfant réagira immédiatement et recommencera tout à zéro !

Le plus difficile en fait, dans cette procédure, est de combattre et de supprimer l'angoisse que nous avons en tant que parents. Nous vivons en effet avec beaucoup d'idées reçues et de peurs quant aux réponses à apporter à un organisme en situation de perturbation. Nous affirmons pour notre part, que lorsque l'organisme est en dysfonctionnement, il a besoin de repos. Ce repos est également valable et nécessaire pour les fonctions nutritionnelles.

Lorsque mon fils, âgé de 2 à 3 ans à l'époque, est tombé malade, je n'étais encore qu'étudiant en hygiénisme. Mais j'ai appliqué ce que je vous propose actuellement et croyez-moi, je n'étais pas très fier ! Je savais ce que je faisais intellectuellement, en théorie, mais cela ne m'a pas été facile, surtout moi qui ai été élevé à coup de viande à chaque repas pendant vingt ans, de sucre blanc, de pain blanc ; j'étais donc malade régulièrement et soigné avec des antibiotiques. Mais cela n'était pas suffisant, alors, huile de foie de morue !

Cette première fois, avec mon enfant, la fièvre est tombée au bout de 24 heures et, au début du troisième jour, il a repris sa vie comme d'habitude ! et moi aussi !

Par la suite, j'ai continué à appliquer ces méthodes tout au long de son enfance. En procédant ainsi, j'ai maintenu sa toxémie à un niveau faible. Il a maintenant 11 ans. La dernière fois qu'il a été malade, avec 39,8 de fièvre, c'était un vendredi soir d'automne 1988, il y a 5 ans.

En fait, actuellement, il se gère seul quant à son alimentation. Si à la cantine, on lui propose steak-purée, il prendra soit de la purée, soit steak si c'est cela qui lui fait plaisir. Dans certains cas, le plaisir peut aussi correspondre à un besoin. Etant donné qu'il est obligé de déjeuner à la cantine faute de temps pour rentrer à la maison, j'ai été dans l'obligation, non pas de décider pour lui de son alimentation, mais de lui apprendre au fil du temps à gérer sa propre relation à l'alimentation. Je me suis efforcé de lui donner les moyens de se comprendre, de faire la relation entre ce qu'il a consommé et le désordre ponctuel qui peut s'en suivre. Ce travail n'est pas fini mais on avance, tranquillement, sans interdiction de quoi que ce soit. En fait, pour moi, c'est la vraie éducation : non pas gaver nos enfants d'un tas de connaissances, avec un entonnoir comme pour les canards, mais leur donner les moyens, les outils, pour qu'ils apprennent par eux-mêmes.

PROPOS SUR L'HYPERTENSION

La tension artérielle est la pression nécessaire à la progression du sang dans les vaisseaux sanguins.

Nous pourrions comparer ce processus au fonctionnement de nos anciennes pompes à main utilisées pour tirer l'eau du puits. Le cœur est, en l'occurrence, la pompe avec une phase d'expulsion du sang dans les artères, pression maximale, et une phase d'écoulement tranquille, pression minimale.

Le nombre de ces deux phases couplées est, en moyenne de 60 à 90 par minute chez les adultes : c'est le pouls.

Les moyennes théoriques de la tension artérielle sont :

MAXIMA : 12/13

MINIMA : 7/8

Cette tension artérielle peut varier mécaniquement par :

– une augmentation du débit cardiaque, dans l'effort par exemple ;

– un rétrécissement du diamètre des artères ;

– une viscosité (état plus huileux) du sang

Les artères ne sont pas des tuyaux rigides. Elles sont pourvues d'élasticité ; elles peuvent se contracter et se rétrécir ou, au contraire, se relâcher et se dilater.

CAUSES DE LA VARIATION DE LA PRESSION ARTÉRIELLE

– Elle peut s'élever au cours de l'effort, de l'émotion, du froid ;

– Elle diminue au cours de la grossesse ;

– Elle s'élève parfois avec l'âge ;

– Elle varie dans les moments de la journée.

Cette pression artérielle n'est pas fixe ; elle varie non seulement d'un sujet à l'autre, mais même chez un sujet donné.

« Vous êtes hypertendu lorsque votre médecin vous annonce que votre pression artérielle est anormale ! ». Le phénomène de stress (émotion) va immédiatement et automatiquement changer votre tension artérielle.

C'est pour cela qu'il est nécessaire de prendre la tension à différents moments de la journée pour faire une moyenne.

SONT AUSSI CAUSES POTENTIELLES D'HYPERTENSION

– L'obésité ;

– Un excès de sel supérieur à trois grammes/jour, (le lait maternel contient six fois moins de sel que le lait artificiel) ;

– L'alcool, le café ;

– Trop de nourriture en quantité et en mauvaises associations alimentaires.

L'hypertension provoque une usure prématurée des artères et entraîne des complications au niveau des organes vitaux : le cerveau, le cœur, les reins, parfois des mini-hémorragies (micro-anévrisme), ou de l'athérosclérose (dépôts graisseux dans les moyennes et grosses artères).

En fait, dans les problèmes graves, trois facteurs peuvent jouer ensemble ou séparément : l'obésité – le cholestérol en excès – le diabète.

LE SANG

Le sang est le véhicule qui transporte les nutriments à chaque cellule.

Nous pourrions comparer le système sanguin au système routier d'un pays :

– les artères : les autoroutes ;

– les artérioles : les nationales ;

– les capillaires : les départementales.

Si le réseau routier est trop dense, il risque de se former (suite à un accident) des embouteillages, des ralentissements et, à la longue, des rétrécissements. D'une circulation fluide au départ, nous allons passer à une circulation dense, malaisée, lente. La durée du trajet va s'allonger, et nous allons stresser. Les chauffeurs routiers se mettent en grève et c'est l'infarctus. C'est la même chose dans le corps humain !

Par une surcharge alimentaire, par une surcharge émotionnelle (stress), le sang va accroître sa viscosité, des dépôts graisseux vont se former ici et là, et au bout d'un certain temps de mauvais traitements, nous allons enclencher :

– une insuffisance rénale ;

– de l'artérite ;

– de l'athérosclérose ;

– de l'hypercholestérolémie ;

– de l'hématurie (présence de sang dans les urines) ;

– un infarctus

– une thrombose, etc.

RÉPONSE ALIMENTAIRE À UNE SITUATION D'HYPERTENSION

Pourrons-nous résoudre cette importante perturbation en continuant un régime : bœuf bourguignon/patates/vin de bourgogne/choux à la crème ?

J'en doute !

Il sera nécessaire de réfléchir à notre mode de vie alimentaire. En tenant compte des lois alimentaires chimiques qui nous régissent, le premier travail à faire sera de continuer à nourrir l'organisme en dépensant le minimum d'énergie de transformation par de bonnes associations alimentaires.

LES CARENCES VITAMINIQUES/SELS MINÉRAUX

1ère CAUSE : l'alimentation ne comporte pas ou pas assez de fruits et de légumes. Il va donc exister une carence par manque d'approvisionnement quotidien. C'est le cas des pays du tiers-monde.

2e CAUSE : l'approvisionnement se fait par l'alimentation, normalement, mais la personne est malgré tout en situation de carence.

Ce qui est en cause dans ce cas-là, ce n'est pas l'apport alimentaire, puisqu'il existe. Le problème réside dans les fonctions mécaniques d'assimilation qui sont bloquées.

La réponse peut-elle être une surconsommation de vitamines et de sels minéraux de synthèse ? Non ! Cette solution engendrera une perturbation supplémentaire car : d'une part l'organisme ne pourra toujours pas assimiler ces produits ; et en plus, il devra les évacuer, donc dépenser une partie de son potentiel d'énergie vitale, déjà bien réduit, puisque les fonctions d'assimilation sont bloquées.

La réponse ne pourra donc être qu'un repos physiologique et digestif, en tenant compte des compatibilités alimentaires de façon à recréer ce potentiel d'énergie et remettre en marche les fonctions mécaniques d'assimilation.

Une fois la mécanique remise en état, la personne, en conservant les fruits et les légumes, assimilera et refera le plein de ce qui lui manquait initialement.

Ce processus devrait être longuement médité par ceux qui ont pris l'habitude des petites pilules rouges, vertes, bleus, violettes, roses, blanches, noires, etc.

LES BONBONS ET LES ENFANTS

Les bonbons sont composés de sucre raffiné ou chimique, ainsi que de colorants divers. Ces produits sont d'une haute toxicité pour l'organisme.

Quelle réponse apporter aux enfants qui ont tendance à trop en consommer ?

Ce n'est pas l'interdiction ! Le besoin de sucre est essentiel pour l'organisme. Si cet apport est insuffisant dans l'alimentation, l'enfant aura tendance à faire le plein de sucre en mangeant des bonbons.

La réponse sera d'enclencher un apport de sucre naturel dans l'alimentation quotidienne par l'intermédiaire de fruits secs sucrés : raisins, figues, dattes, pruneaux, abricots...

Dans un premier temps, il faut laisser ces aliments en permanence sur la table de la cuisine. L'enfant va passer par une première phase de surconsommation : laissez faire ! Il est en train de rétablir sa glycémie qui était perturbée.

Deuxième phase : la consommation va devenir normale pour un apport de sucre naturel nécessaire aux fonctions musculaires, mentales et cellulaires.

En attendant, l'enfant réduira de lui-même (ou supprimera) sa consommation de bonbons.

Sans interdiction, sans stress, sans conflit, en douceur, l'enfant se rééquilibrera de lui-même.

LES ENFANTS, LES MÉDICAMENTS
ET LA DROGUE

Si au moindre bobo, on donne systématiquement à un enfant un produit chimique quelconque (cachet, pilule, sirop), que fait-on ?

On apporte une réponse immédiate, chimique, à une perturbation : un bien-être immédiat va en découler, mais du fait d'une consommation de produit chimique.

Supposons que l'on adopte cette solution régulièrement pendant l'enfance, et supposons que cet enfant, à l'adolescence, vive des problèmes d'origines diverses : difficultés relationnelles avec les parents, avec les professeurs, ses camarades... Supposons donc que pour X raisons, cet adolescent ne soit pas bien dans sa peau.

Or, on lui a appris tout au cours de sa vie, à s'apporter une réponse chimique immédiate dès qu'une perturbation apparaît.

Pourquoi alors ne serait-il pas tenté, dans cette phase difficile, d'essayer la drogue ?

Ces drogues douces ou fortes auront, elles aussi, le même effet. Bien-être immédiat !

Ceci est une réflexion pour les parents qui ont transformé leur salle de bain en pharmacie de supermarché !

Les enfants, c'est comme le mariage !
Ce sont les premières 25 années qui sont dures,
après ça va tout seul !

(Réflexion personnelle de l'auteur)

LA LUMIÈRE ET NOS BIORYTHMES

L'être humain est un mammifère. Comme tous les animaux, il fonctionne avec la lumière du soleil.

Si nous vivions comme nos aïeux, à partir de dix-sept heures, l'hiver, nous arrêterions de travailler dans les champs, nous soignerions les bêtes dans une semi-pénombre dans l'étable, puis nous rentrerions dans notre maison éclairée à la lampe à pétrole ou à la bougie.

Nous avons tous une glande, la glande pinéale, dans le cerveau, qui est la glande réflexe pour l'endormissement et le rêve. Elle se met en marche au dessous de 40 watts. Dans le cas de nos aïeux, la lumière du jour étant tombée, cette glande se mettait en marche et, vers 8 ou 9 heures du soir, l'hiver, chacun allait naturellement se coucher.

L'été est une période de lumière intense. C'est donc une période d'activité intense pour la nature en général et pour nous-mêmes. Nos aïeux se levaient à 5 heures du matin pour aller faire les foins et ce, parfois jusqu'à 10 heures du soir !

Lumière = activité ;

Nuit = sommeil.

Notre société a inventé la lumière artificielle ; ce progrès a une incidence sur les biorythmes humains.

L'hiver, vers 5-6 heures de l'après-midi, alors qu'il fait nuit, nous allumons parfois des néons de 100 watts. La glande pinéale ne peut donc pas se mettre en marche et, vers 8-9 heures du soir, nous n'avons toujours pas sommeil.

L'hiver, la lumière doit être tamisée et indirecte dans les habitations pour le bien-être et le bon sommeil de tous.

Nos remarques portent sur nos biorythmes quotidiens, mais nous pourrions aussi réfléchir à nos biorythmes annuels :

L'hiver est une période de repos ;

L'été est une période d'activité intense.

Certains d'entre nous, avec l'organisation actuelle de la société, font parfois tout le contraire.

L'hiver, on va « s'éclater » sur les pistes de ski !

L'été, on « s'écroule » sur la plage : farniente.

C'est ainsi que beaucoup de cas de dépression se produisent à l'automne ! Notre système énergétique biorythmique peut être déréglé !

La télévision diffuse beaucoup de lumière (trop variable pour pouvoir la chiffrer). Un film comme « Lawrence d'Arabie », dans le désert avec une grande luminosité, va nous réveiller. Un film tourné dans une mine de charbon avec des acteurs africains, risque fort, par contre, d'enclencher le travail au niveau de notre glande pinéale. Dans ce cas, plus le lit sera proche et mieux ce sera.

Bonne nuit à tous.

LA DIÉTÉTIQUE

La science de la diététique est très récente dans l'histoire de l'homme. On s'est aperçu il y a quelques dizaines d'années que les aliments sont composés de vitamines, sels minéraux, glucides, lipides, protéines.

Pour s'y retrouver, l'homme a donc classifié les aliments suivant leur composition : la viande contient beaucoup de protéines, donc ce produit est classé « famille de protéines » – la pomme contient beaucoup de vitamines donc « famille des vitamines ». Si l'on y regarde de plus près, on voit que la viande contient :

- des protéines   16 à 25 %
- des lipides   4 à 33 %
- des glucides   0,5 à 1 %
- des sels minéraux en quantités infimes et variables
- des vitamines : idem

La pomme contient :
- des protéines   0,6 %
- des lipides   2 %
- des glucides   14 %

– des sels minéraux en quantités infimes et variables

– des vitamines : idem

En fait, dans tous les aliments naturels que l'homme consomme depuis la nuit des temps, il y a Tout dans Tout, en proportions variables. Pour s'y reconnaître, cette classification était quand même nécessaire mais relativement subjective. Si je suis en manque d'énergie importante et que je consomme à ce moment-là un petit salé aux lentilles, plat hyper-protéiné (protéines animales + végétales) je risque fort de ne rien assimiler comme protéines par manque d'énergie de transformation. Je serai donc momentanément en carence de protéines. Si j'ai l'intelligence à ce moment-là, de consommer quelques pommes, qui nécessitent très peu d'investissement énergétique, j'assimilerai les quelques protéines infimes contenues dans les pommes.

Que vaut-il mieux pour mon organisme ?

Consommer un plat que je ne peux pas digérer, qui va fermenter, produire des toxines et donc m'empoisonner ponctuellement ?

Ou, manger quelques pommes contenant peu de protéines, mais que je vais assimiler ?

PROPOS SUR LES CALORIES, LES QUANTITÉS ET LA SURCHARGE PONDÉRALE

L'organisme humain fonctionne selon le principe suivant : d'une part, il stocke des calories ; d'autre part, il en utilise immédiatement pour lui-même.

Un fonctionnement correct va donc être :

– utilisation de X calories par jours et stockage de X calories par jour pour remplacement et rééquilibrage calorique.

Maintenant, examinons une situation de stress mental.

Nous avons vu que la fonction mentale est dépensière d'énergie – lorsque je me trouve en surconsommation d'énergie dans la fonction mentale, cela se fera au détriment de la fonction d'élimination toxinique (dépensière de calories).

Dans ce cas, parfois même sans changer de quantité alimentaire, un stress peut bloquer cette fonction d'élimination et mon organisme va stocker des calories sous forme de graisse non utilisée et non évacuée. Conséquence : une surcharge pondérale.

La réponse apportée actuellement à ce problème est la réduction des calories par des régimes hypocaloriques.

Quelle incidence cette réponse a-t-elle sur la mécanique physique ? Dans un premier temps, n'étant pas préparé à ce nouveau mode de fonctionnement brusque, l'organisme va se retrouver dans l'obligation de déstocker des calories pour se rééquilibrer : une diminution de poids aura donc lieu.

2e épisode : l'organisme va s'habituer à ce nouveau mode de fonctionnement hypocalorique – il reprendra donc son travail de stockage de calories dans l'alimentation. La fonction d'élimination étant bloquée au départ, nous sommes toujours dans la même situation – c'est ainsi que parfois, certaines personnes s'alimentant avec un régime draconien, (400 cal/jour) après une période de perte de poids, vont de nouveau restocker et prendre du poids, parfois même dépasser le poids initial de départ.

Risques physiques : dénutrition et carences.

Quelle incidence cette attitude face à l'alimentation aura-t-elle sur le mental ?

Le point de départ de cette surcharge pondérale est un stress mental, dépensier d'énergie.

En procédant brutalement avec un régime basses calories, nous risquons tout simplement de créer un stress supplémentaire car la personne ne mangera pas à sa faim. De plus, au moment de prendre un repas, elle commencera par prendre une balance, peser ses aliments, etc.

Ces contraintes vont perturber un mental déjà affecté par ailleurs. Nous allons donc accroître cette dépense d'énergie déjà importante au niveau mental, ce qui bloquera un peu plus les autres fonctions mécaniques du corps qui elles, sont déjà en manque d'énergie.

Risques : ajouter un stress à un autre,

... et dysfonctionnement du corps en général aux plans mental et physique.

Conclusion

Le corps humain n'est pas simplement un moteur de voiture qui fonctionnerait avec tant de calories à l'heure !

Dans le fait de s'alimenter, trois facteurs d'égale importance vont entrer en jeu :

1. Le besoin d'alimentation, relatif au fonctionnement mécanique ;
2. Le besoin culturel, relatif à l'appartenance d'un groupe ;
3. Le besoin affectif, relatif au vécu psychologique de chacun.

Il n'est pas possible de faire l'impasse sur les besoins culturel et affectif. Nous devons tenir compte en permanence de l'ensemble des trois besoins.

Les quantités alimentaires seront donc à définir quotidiennement par l'individu lui-même.

Qui peut dire ce dont j'ai besoin comme quantité alimentaire, sachant que systématiquement, ce besoin est d'ordre :

– physique ;
– culturel ;
– affectif.

Qui d'autre que moi ?
Si je me trouve dans une situation ponctuelle où :
– le soleil brille ;

– les impôts m'ont remboursé un trop perçu sur les revenus ;

– ma belle-mère, qui devait venir, en est empêchée ;

– les enfants me ramènent de bonnes notes de l'école ;

– ma compagne ou mon compagnon de vie m'a offert un bouquet de fleurs ;

– bref, si cette journée-là tout va bien, ma relation à l'alimentation sera obligatoirement différente, ainsi que mes besoins en quantités.

Si par contre :

– ma facture de téléphone est le double de la dernière fois ;

– j'ai passé une nuit blanche parce qu'un de mes enfants est malade ;

– il fait froid et il pleut ;

– le chauffage est en panne et j'ai une altercation avec ma voisine de palier,

là aussi ma relation à l'alimentation sera différente :

– soit je serai momentanément en phase de boulimie pour « compenser » ;

– soit je serai dans une phase momentanée d'anorexie car j'ai un « nœud à la gorge » et rien ne passe !

Donc pour jouer et définir d'avance une certaine quantité alimentaire, il me serait nécessaire de connaître d'avance tout ce que je vais vivre dans les jours à venir, au niveau mental et relationnel.

(Remarquez, il me reste toujours la possibilité de prendre un abonnement à un horoscope quotidien.)

En conclusion sérieuse, il n'y a que moi qui sache ce dont j'ai besoin quotidiennement et ce besoin varie selon différents facteurs d'environnement.

Pour illustrer ce propos, voici le cas de Patrick, 11 ans, 55 kg, surcharge pondérale de 20 à 25 kg.

Sa maman vient me voir avec lui. Il passe son temps à voir différents thérapeutes et tous l'ont mis sous régime restrictif.

A 11 ans, un enfant a besoin de nourriture ! Si ce besoin n'est pas physique, il est au moins affectif.

Sa mère était très stressée de ne pouvoir donner à manger suffisamment à son fils.

J'ai immédiatement demandé à Patrick tout ce qu'il aimerait manger ! La réponse ne se fit pas attendre :

– « Du pain, des pâtes, du jambon, des patates, de la viande, des raisins secs, etc. ».

A notre premier entretien, j'ai donc donné à Patrick tout ce qu'il avait envie de manger, aliments interdits depuis des années, en tenant compte des compatibilités et semi-compatibilités alimentaires.

– réaction de la mère : enfin quelqu'un qui m'autorise à nourrir mon fils !

– réaction de Patrick : rire fendu jusqu'aux oreilles.

Patrick a passé trois semaines à s'identifier à Gargantua.

Deuxième entretien : Patrick toujours très joyeux, perte 3 kg ! de 55 kg, en se goinfrant, Patrick avait perdu 3 kg !

Pourquoi ? Il était en situation de stress permanent par manque alimentaire, donc déperdition énergétique mentale trop importante qui affectait ses fonctions d'élimination mécaniques. En mangeant très peu et en stressant, il ne perdait pas de poids car il stockait sans éliminer.

En l'autorisant à manger, le stress a disparu et cette énergie mentale dépensée précédemment a été affectée aux fonctions mécaniques.

D'autre part la maman de Patrick s'est, elle aussi, déstressée dans cette relation affective alimentaire avec son fils.

Par la suite, j'ai proposé à Patrick un deuxième mode alimentaire qui s'enclenchait au premier, puis un troisième, puis un quatrième. Au fil du temps, j'ai amené Patrick en douceur à un régime fruito-végétarien car il en avait besoin. Mais cela s'est fait en accord avec les besoins physiques, mentaux, affectifs, culturels de son organisme. Au bout de huit mois, Patrick avait perdu dix kilos sans s'en apercevoir.

Maintenant, je vais vous citer le cas inverse, de Donatien sept ans. Sa mère vient me voir avec lui car il perdait du poids sans être réellement malade. A sept ans, un enfant stagne au niveau de son poids, ou grossit, mais n'a pas de raison de perdre du poids :

Je demande à la mère : « A-t-il faim le matin ? »

– « Non il n'a jamais faim mais pas question qu'il parte à l'école sans rien dans le ventre ! »

– « Que lui donnez-vous à manger ? »

– « Je lui donne du chocolat au lait, des croissants, des tartines de pain et de la confiture !

(ensemble d'aliments vraiment très incompatibles !) et du lait entier parce que c'est plus riche ! »

Donatien était momentanément en manque d'énergie, son organisme n'avait pas la possibilité d'absorber, de digérer, d'assimiler les trois repas classiques quotidiens. Son organisme avait besoin de repos, c'est pour cela que Donatien n'avait pas faim le matin.

En fait, dans ce cas-là, l'organisme fonctionne comme un tuyau, ça rentre d'un côté, ça ressort par l'autre ! Rien n'est fixé à l'intérieur du corps.

J'ai donc bien expliqué ce processus à sa mère. Il était nécessaire pour moi de lui faire changer l'idée que le petit déjeuner devait être obligatoirement copieux !

Je lui ai donc proposé de laisser tranquille son fils le matin.

– « Proposez-lui un fruit, si vous voulez, lui ai-je dit, s'il n'en veut pas, un jus de fruit, et s'il ne veut rien, tant pis ! Laissez faire la nature quelques jours. »

Elle m'a écouté ! Le gamin n'a rien pris au petit déjeuner pendant huit jours et il s'est remis à prendre du poids !

Son organisme s'est reposé : soulagé du petit déjeuner, il lui restait alors suffisamment d'énergie pour assimiler les deux autres repas.

Conclusion

Dans le cas de Patrick qui devait perdre du poids, il a fallu augmenter et diversifier l'alimentation.

Dans le cas de Donatien qui devait prendre du poids, il a fallu sauter le petit déjeuner.

Il faut manger pour maigrir ! ?

Il faut jeûner pour grossir ! ?

LES FEMMES ET LA GROSSESSE

Pourquoi certaines femmes n'arrivent-elles pas à avoir d'enfant ?

Notre hypothèse est que, à moins de problème mécanique héréditaire (malformation) ou acquis (accident par exemple), elles ont une toxémie tellement forte que la fonction de reproduction est bloquée.

En effet, l'organisme sait qu'il aurait un travail trop important à effectuer dans les 9 mois à venir. Il faudrait d'abord qu'il fasse, en même temps que la grossesse, un travail d'auto-nettoyage, de désintoxication important, ce qui nécessiterait une dépense énergétique trop violente. Il n'aurait donc plus assez d'énergie pour fabriquer un fœtus. Dans ce cas, les organes ferment leurs portes à clé ! Désolé, pas question d'être enceinte maintenant !

Deuxième possibilité : la toxémie de la personne est forte mais pas assez pour bloquer la fonction de reproduction. L'organisme est donc d'accord pour mettre en marche un enfant mais va entreprendre immédiatement un travail de désintoxication qui se traduira par des nausées, des vomissements, des insomnies, des pertes d'énergie importantes dans le quotidien, ainsi que tous les autres troubles cités au début de ce livre.

Troisième possibilité : la personne a une faible toxémie, elle traversera donc la période de grossesse facilement, sans perturbation extrême.

C'est cette dernière situation qui est naturelle. Le fait d'être enceinte n'est pas une maladie. C'est notre mode de vie défectueux qui provoque les problèmes malheureux, courants dans notre société.

Une femme qui, suite à une trop forte toxémie, traverse une période de grossesse difficile, subit une perte d'énergie importante. Par la suite, cette situation va induire des difficultés d'allaitement, soit manque de lait maternel, soit fatigue pour allaiter ! L'enfant ne recevra pas ou pas assez de lait maternel. On recourra donc au lait de vache, en excès dans notre société, etc. (voir le paragraphe sur le lait).

LA CONSOMMATION D'EAU

– Buvez-vous de l'eau ?
– Oui, 2 à 3 litres par jour.
– Mais, avez-vous soif ?
– Non, mais je me force, pour éliminer !

L'eau contient beaucoup d'éléments : des sels minéraux, des chlorures, des nitrates, des sulfates, etc.

Quant à l'élimination, elle a lieu dans le milieu cellulaire.

Les reins, principaux organes excréteurs liquides, sont comme tous les autres organes, ils ont besoin de se reposer régulièrement. Si je me force à boire de façon inconsidérée et sans soif réelle, je surmène mes reins, ce qui prépare obligatoirement des complications ultérieures.

Les fruits frais et les légumes en crudité, cuidité (mi-cuits) ou en soupe, contiennent déjà beaucoup d'eau.

Si j'en consomme régulièrement l'hiver, c'est largement suffisant.

L'été, la température augmentant, l'organisme suivant l'individu, réclame une quantité d'eau plus importante.

Conclusion

Buvez de temps en temps, lorsque vous ressentez la soif, mais arrêtez de malmener vos reins par une consommation exagérée !

PROPOS SUR LES CHIENS
ET LES CHATS

Les chiens et les chats sont des mammifères comme nous et ils sont carnivores.

A l'état naturel, les carnivores attrapent leurs proies, déchiquettent la viande pour un apport de protéines et ils rongent les os de leurs victimes pour trouver les sels minéraux dont ils ont besoin.

Comment nourrir nos animaux domestiques ?

Avez-vous déjà vu un lion qui, après avoir attrapé une gazelle, sort son butagaz pour faire cuire sa viande ?

Non !

Avez-vous déjà vu un chat sauvage, récupérer du riz dans une rizière et se préparer un bol de riz ?

Non !

Avez-vous déjà vu un lynx récolter du blé et se préparer des petits gâteaux secs au four ?

Non !

Les chiens et les chats n'ont pas un organisme prévu pour consommer de la viande cuite, car la cuisson déforme les molé-

nétiquement, leur organisme n'a aucune
lu cru, G.C. Burger).

pâtes, riz) sont des glucides (sucres
n'ont aucune adaptation digestive à ces

Idem pour les gâteaux secs, qui, outre qu'ils sont inadaptés génétiquement, se retrouvent en association encore plus incompatible que pour nous humains : sucre rapide + sucre lent.

Conclusion : les chats et les chiens doivent consommer, pour leur bien-être, de la viande crue, mélangée à des légumes verts cuits (carottes par exemple). Les légumes verts cuits remplacent les os et apporteront les sels minéraux dont ils ont besoin.

Les gâteaux secs ou les féculents seront supprimés ou du moins, on ralentira leur consommation : une fois par semaine est largement suffisant.

Dans le cas contraire, avec une alimentation anarchique, attendez-vous à avoir un animal qui augmentera progressivement sa toxémie, avec les perturbations qui peuvent en découler : eczéma, asthme, arthrite, pustules, kystes, cancer, etc.

Attention donc à ne pas rendre malades ces animaux sous prétexte d'amour.

ALIMENTATION ET SPORT

Dans les années 80, je travaillais avec un aide-comptable de 35 ans qui adorait le cyclisme. Chaque fin de semaine, il roulait et avalait 150 kilomètres. Le reste du temps, il faisait bombance, avec force viandes rouges, pain, petits plats préparés, alcools et restaurants.

Il était un peu grassouillet et il me disait :

« Je peux manger ce que je veux et me faire plaisir toute la semaine, car le week-end j'élimine en faisant du vélo ! ».

J'ai eu de ses nouvelles quelques années plus tard : il était, à 41 ans, dans une chaise roulante, « paraplégique » !

Morale de cette histoire pas drôle : On ne peut pas demander à l'organisme d'endurer des excès en permanence dans plusieurs fonctions.

Dans le cas cité :

– fonctions musculaires ;

– digestion ;

– assimilation ;

– élimination toxinique cellulaire.

En faisant du sport, on n'élimine pas !

En faisant du sport, on ÉVACUE, par la peau et les poumons des toxines déjà éliminées au niveau cellulaire, puis acheminées vers les organes évacuateurs.

Par contre, dans une activité musculaire intense, on fabrique des toxines sous forme d'acides lactiques. Dans un organisme malsain, saturé de toxines et de faible énergie, la pratique d'un sport risque d'augmenter le déséquilibre en accroissant la toxémie.

Nous avons le cas récent d'un chanteur très connu qui s'est enfermé des semaines entières dans son appartement pour composer (= excès de la fonction mentale intellectuelle) et ceci, en se nourrissant seulement de sandwiches (= mauvaise qualité alimentaire, doublée d'incompatibilité). Son travail étant terminé, il est retourné dans sa villa et a décidé, tout à coup, de jouer au tennis (= excès de fonction musculaire et respiratoire).

Il est tombé, sur son cour de tennis : crise cardiaque ! Par sur-toxémie immédiate, par empoisonnement toxinique, la machine s'est bloquée !

Dans le cas d'un organisme sain (faible toxémie/bonne énergie), la pratique d'un sport est saine. Le corps fabrique des toxines qu'il évacue au fur et à mesure, ce qui a un effet positif d'entretien des fonctions musculaires pour le bien-être général.

Conclusion :

Toute insuffisance ou tout excès dans une fonction engendrera des troubles.

Si le sujet est en mauvais état, le sport n'arrangera pas la situation, bien au contraire !

Il faut tout d'abord envisager un travail alimentaire de désintoxication du corps et de remise en état de ses fonctions énergétiques ; et ce n'est qu'après que l'on pourra envisager les jeux Olympiques !

PROPOS SUR L'HOMÉOPATHIE
(AINSI QUE L'OSTÉOPATHIE ET L'ACUPUNCTURE)

Hahnemann, le père de l'homéopathie, dans les années 1800, était grandement en avance sur son époque. Il avait pensé le corps humain, non pas dans ses symptômes, qui n'ont un intérêt que secondaire, mais dans sa globalité, avec l'idée que c'était ce qu'il fallait traiter.

Beaucoup d'entre nous, y compris des médecins s'interrogent quant à la nécessité ou non de la médecine symptomatologique, c'est-à-dire allopathique, dans tous les cas.

De ce fait, depuis une bonne vingtaine d'années, l'homéopathie a pris une vigueur toujours croissante.

Qui décide qu'une thérapie est bonne ou mauvaise ? Est-ce le médecin, le corps médical ? Je ne le pense pas ! Pour moi, c'est l'usager !

Du fait du rejet partiel de l'allopathie, de plus en plus de personnes se tournent vers l'homéopathie et nous vivons actuellement ce mouvement.

Il va néanmoins falloir attendre encore quelques années pour que ses effets soient constatés :

– soit ce constat sera négatif, auquel cas la population se tournera vers une autre thérapie ;

– soit il sera positif, et alors, la démarche homéopathique s'amplifiera !

Cela dit, quoiqu'il arrive dans les temps à venir, et quelle que soit la thérapie choisie, nous pourrons de moins en moins faire l'impasse sur l'alimentation.

L'HOMME = 18 TONNES

L'être humain absorbe, de sa naissance à sa mort, environ 18 tonnes de nourriture. Ce sont 18 tonnes de chimie organique vivante. Si je consomme 18 tonnes de hamburgers, de sandwiches et de Coca-Cola, il y a de grandes chances pour que je raccourcisse ma vie et que je traîne des symptômes de maladie durant les 2 ou 3 dernières décennies de mon existence.

Si ces 18 tonnes sont correctement pensées, si je nourris mon corps avec des aliments adaptés à mon espèce, il n'y a pas de raison d'être malade.

Quel est l'état naturel de l'homme ?

– l'état de maladie ;

ou

– l'état de santé ?

EXPLICATION DE LA TOXÉMIE

« Les toxines sont des sous-produits aussi constants et nécessaires que la vie même. Quand l'organisme est normal, elles sont éliminées aussi rapidement qu'elles sont produites. Depuis le début de leur production, et jusqu'à la fin de leur élimination, elles sont transportées par le sang. En quantité normale, elles sont légèrement stimulantes. Mais quand l'organisme est énervé (manque d'énergie vitale) l'élimination est retardée. Alors la quantité retenue devient trop stimulante, même toxique, allant d'un léger excès à une proportion telle, qu'elle accable la vie. »

Dr. J.-. Tilden

ORIGINES DE LA TOXÉMIE

Toxémie exogène : lorsque les corps toxiques proviennent de l'extérieur de la cellule, elle est exogène :
– diverses pollutions industrielles et agricoles ;
– tabac, alcool, café, thé, drogues diverses ;
– les aliments de dégénérescence. Ex. : le sucre ;

– mauvaises associations alimentaires.

Toxémie endogène : la cellule elle-même se nourrit, et de ce fait, elle engendre elle aussi des déchets. C'est une situation normale. La cellule fabrique diverses toxiques par oxydation des nutriments. Un organisme en bon état de fonctionnement dans toutes les fonctions naturelles de l'être humain, engendrera donc beaucoup de toxines et les éliminera sans difficulté car son potentiel d'énergie vitale est haut.

L'AUTO MÉDICATION HYGIÉNISTE

Qu'utilise un hygiéniste pour se soigner s'il est malade ? « Comment, me direz-vous, un hygiéniste malade ? ». Et oui, l'erreur est humaine, laissons lui donc encore une chance.

Que va-t-il utiliser ?

– des médicaments divers ? Non ;

– des vitamines de synthèse ? Non ;

– des oligo-éléments de synthèse ? Non ;

– des compléments alimentaires de synthèse ? Non ;

– des compléments alimentaire protéinés ? Non ;

– des produits allégés ? Non ;

– des tisanes ? Non ;

– des chewing-gum ? Non ;

– des choucroutes alsaciennes-Sylvaner ? Non ;

– des couscous-merguez-Sidi Brahim ? Non plus !

Que reste-t-il alors ?

– le jeûne ;

– la diète ;

– les fruits ;

– les légumes ;
– les céréales !
OUF ! Il reste quelque chose à avaler !

« Il faut modifier la théorie pour l'adapter à la nature, et non la nature pour l'adapter à la théorie. »

Claude Bernard

CHAPITRE IV

« La puissance de l'esprit va bien plus loin que ce que j'avais d'abord imaginé. Je suis convaincu également que, au-delà du corps et de l'esprit, il existe une autre dimension de la guérison qu'il convient d'aborder : l'aspect spirituel. [...] L'harmonie tient une place centrale dans la santé. Cela s'applique non seulement à l'esprit et au corps de l'individu, mais aussi à ses relations avec lui-même, sa famille, ses amis, son milieu, la planète et l'univers ! ».

Dr. Carl Simonton
L'aventure d'une guérison,
éd. Belfond

« Chaque homme est responsable de lui-même ; à lui d'aimer ou non son corps, de sentir ce dont il a besoin, trouver l'alimentation qui lui est le plus adaptée, de ne pas suivre aveuglément une méthode ; celle-ci ne sont là que pour éveiller sa conscience. Rappelons que le calme d'un repas est tout aussi important que l'aliment lui-même. [...] Etant tous différents les uns des autres, il est important qu'une méthode alimentaire soit en plaine harmonie avec le mental du sujet. »

Dr. Bernard Woestland
De l'homme cancer à l'homme Dieu,
éd. Dervy-Livres.

PROPOS SUR LA PENSÉE

Qui peut être négative, positive ou restrictive

Situation de Sylvie, 40 ans, commerçante, en semi-dépression depuis 10 ans, divorcée depuis 2 ans. Son commerce ne marche pas, elle est en conflit permanent avec ses deux grands enfants, son ex-mari, etc.

Après une séance de biorespiration, je lui demande de visionner sa vie trois mois plus tard et d'émettre de bonnes pensées par rapport à sa situation actuelle.

Formulation de ses pensées, qu'elle estime positive :

« Je veux :

– guérir totalement de ma dépression ;

– rembourser toutes mes dettes ;

– rencontrer un homme qui m'apportera l'amour et l'affection dont j'ai besoin. »

Étudions cette formulation : « Je veux ».

Si la vie n'était qu'une histoire de volonté, tout irait bien ! Mais ce n'est pas le cas. En pensant : « Je veux », beaucoup d'énergie mentale sera dépensée et concentrée dans une seule direction. Cela ne laissera aucune place à une autre opportunité peut-être plus intéressante, car notre mental, à ce moment-là, sera braqué et non disponible.

« Je choisis », est une autre formulation, beaucoup plus souple, moins stressante, qui laissera la porte ouverte à d'autres possibilités, supérieures peut-être.

« Guérir totalement de ma dépression ! »

Oui, et après ?

Voici un exemple de pensée qui n'est ni négative, ni positive, mais restrictive.

En effet, je peux guérir totalement de ma dépression, mais par quoi sera-t-elle remplacée dans ma vie, si je n'ai rien prévu d'autre ?

J'ai proposé : « Je choisis de me donner les moyens de retrouver une excellente santé physique et mentale. Ainsi, d'une part, je ne laisse plus de place à la dépression, mais en outre je me mets en recherche de moyens pour rétablir mon équilibre ».

« Rembourser toutes mes dettes » : même remarque que précédemment. A la limite, cette personne va « se saigner aux quatre veines » pour rembourser ses dettes et ainsi risque de ne plus avoir d'argent pour vivre.

J'ai proposé : « je choisis de me donner les moyens de vivre dans l'aisance matérielle et financière. En enclenchant cette mécanique de pensée, d'une part je ne laisse plus de place pour une quelconque dette, mais de plus je me mets en recherche de moyens pour rétablir ma situation matérielle et financière ».

« Rencontrer un homme qui m'apporte l'amour et l'affection dont j'ai besoin » : pensée on ne peut plus restrictive. L'affectif ne peut marcher dans un seul sens ! Sylvie ne risque pas de rencontrer quelqu'un avec une telle pensée !

Dans le domaine affectif, le mot-clef est « partage » : je donne et je reçois.

J'ai proposé : « Je choisis de me donner les moyens de rencontrer un homme avec qui je puisse partager de l'amour et de l'affection ». Cette formulation est beaucoup plus oxygénante !

Suite à ce premier travail de réflexion, il est nécessaire d'écrire ses nouvelles décisions sur une feuille et de les lire matin et soir. Pourquoi ? Tout simplement parce que la pensée est une mécanique qu'il faut maîtriser. Le cerveau fonctionne un peu comme un ordinateur : il enregistre des informations, négatives ou positives. Le jour où j'ai sérieusement besoin de lui, si je n'ai enregistré que du négatif, il ne peut me répondre que par du négatif et je me minerai, me détruirai...

En enclenchant mécaniquement une série de pensées positives sur moi-même, en me forçant peut-être au début, je vais m'envoyer des messages d'amour dans lesquels je serai bien, physiquement et mentalement.

Au bout de quelques semaines, je constaterai les répercussions positives sur moi-même et sur mon entourage :

« Aime l'autre comme toi-même », est-il écrit !

Si je m'aime mal, comment aimerai-je l'autre ? Dans l'état actuel de ma réflexion, je suis de plus en plus persuadé que la pensée se matérialise.

Autrement dit :

– aujourd'hui, je suis ce que je pensais hier !

– demain, je serai ce que je pense aujourd'hui !

Attention, car les idées néfastes sont tout aussi puissantes ! Par un système de pensée autodestructeur, j'arriverai aussi à une autodestruction.

IMPACT PHYSIQUE DE LA PENSÉE

Mon système de croyances a une répercussion chimique immédiate dans mon organisme.

Une pensée néfaste va fabriquer des acides que mon organisme devra éliminer : trop de déchets dans le sang, système respiratoire mis à rude épreuve, processus d'augmentation de la toxémie, etc.

Dans un système de pensées agréables et positives pour moi-même, je vais enclencher un bon système respiratoire, une bonne ventilation de mon organisme (je rappelle que l'air est la première source d'énergie mécanique de l'être humain). Ainsi, l'ensemble des milliards de cellules de mon corps sera correctement oxygéné pour un bien-être constant, physique et mental.

Ainsi, tout se tient.

La santé, l'harmonie, ne peuvent être obtenues si on ne respecte pas l'unité du physique et du mental, du corps et de l'esprit.

Tout ce que nous fabriquons (nos pensées, nos croyances, nos émotions), tout ce que nous assimilons (l'eau, l'air, les aliments) participe également au bon équilibre de notre système énergétique et de notre état de santé.

L'intellectuel, l'affectif, le corporel jouent ensemble sur notre situation toxinique.

Nous ne pouvons transformer efficacement notre mode d'alimentation sans prendre en compte toutes les dimensions de notre être, y compris les dimensions culturelles et spirituelles. Et inversement, il faut s'attendre à ce que des changements positifs sur le plan alimentaire aient des répercussions positives sur tous les autres aspects de notre existence... Sinon, ces changements ne sont pas satisfaisants et il faut les revoir.

Sur ce chemin de la vie, nous sommes de perpétuels étudiants.

D'une part cet apprentissage ne peut qu'être autonome, dans la mesure où nous sommes tous différents et singuliers par notre éducation et notre vécu. D'autre part, il ne peut être mené sans le respect des lois naturelles (notamment alimentaires) et de la culture à laquelle nous appartenons.

PROPOS SUR LA
PHILOSOPHIE DU PAIN

Dans notre pensée philosophique et spirituelle occidentale, le pain a valeur de symbole : on partage le pain quotidien.

Que ce soient les Musulmans ou les Chrétiens, le pain a valeur d'échange, de lien, de rencontre, d'amitié.

Quelle tristesse de voir dans une poubelle un pain ou une baguette entière encore sous cellophane, jetée comme un vulgaire détritus !

Nous avons tellement dénaturé notre nourriture en la produisant industriellement, que notre pain blanc n'a pratiquement plus de valeur nutritive. Notre inconscient physique, mental, spirituel et collectif le sait ! De ce fait en jetant du pain à la poubelle, ce n'est plus seulement un aliment que nous jetons, mais c'est notre âme !

L'homme ne connait plus la place qu'il tient dans cet univers, et ne sait plus quel rôle il joue ! Il jette son âme, par perte de certaines valeurs, en particulier la valeur de solidarité !

Lorsque je regarde à la télé ces images de famine, je ne me sens pas autorisé à jeter du pain, même si cela ne change pas grand-chose dans l'immédiat. Mais lorsque ma démarche individuelle rejoindra d'autres démarches individuelles

173

identiques, puis encore d'autres, peut-être l'homme sera-t-il, ce jour-là, assez grand et sage pour trouver immédiatement une solution adéquate au problème de la sous-nutrition qui touche les deux tiers de la population mondiale.

PROPOS SUR LA PHILOSOPHIE DE L'EAU

L'eau est après l'air, l'apport vital le plus essentiel à l'être humain.

L'eau fait partie de l'écosystème dans lequel nous nous inscrivons, comme tous les animaux et tous les végétaux.

Le Yémen dépense par jour et par habitant 7 litres d'eau tous besoins confondus : domestiques et industriels.

Aux Etats-Unis, ce chiffre passe à 200 litres d'eau par jour et par habitant ! C'est trop ! Combien de temps encore notre univers pourra-t-il fournir ce trésor que certains gaspillent à outrance ?

Un matin, mon fils se lavait les dents : pendant 4 à 5 minutes il a laissé l'eau du robinet couler. « Est-ce bien nécessaire ? » lui ai-je demandé. Il a compris et maintenant, il fait attention. L'eau est source de vie, ne l'oublions pas.

Respectons-la.

PROPOS SUR LA SPIRITUALITÉ

Toutes les religions ont imposé des règles, à un moment ou à un autre, dans l'alimentation de leurs adeptes :

– les Chrétiens ont le Carême, le Vendredi Saint, le jeûne ;

– les Musulmans ont le Ramadan et s'interdisent de manger du porc ;

– en Inde, les habitants ne peuvent consommer la viande que si la personne tue elle-même l'animal qu'elle va consommer. De plus, c'est un pays qui regroupe beaucoup de fruito-végétariens-céréaliens, etc.

Nous pourrions passer en revue toutes les religions pour nous apercevoir que, sous couvert de commandements spirituels, les responsables intervenaient pour des questions d'hygiène, pour limiter les épidémies, les maladies, etc.

Il est intéressant de noter aussi que beaucoup de nos grands penseurs mondiaux, d'Hippocrate à Gandhi en passant par Socrate et Platon, ont mené une réflexion sur la nourriture et sur leurs besoins alimentaires.

Au point de compréhension où j'en suis moi-même, je pense de plus en plus que le corps physique est le temple, les fondations de l'âme et que l'âme est la maison de l'esprit. Si mon corps est ébranlé, encrassé par les mauvais traitements alimentaires, que va-t-il en être des deux étages supérieurs ?

Un corps physique en dysfonctionnement va obligatoirement entraîner une toxémie dans le sang. Quelle va être alors la qualité de mes pensées mentales et même spirituelles ?

La démarche de vie de chacun d'entre nous, amicale, affective, spirituelle, etc., peut s'aborder de deux façons :

– soit d'un point de vue scientifique : on va parler de l'équilibre acido-basique du corps et de son influence sur le mental ;

– soit d'un point de vue mental et/ou spirituel : de quelle alimentation mon cerveau a-t-il besoin pour penser, avoir des idées claires, comprendre ma place dans ce monde, m'engager dans la recherche de l'essentiel ?

De nombreux chemins sont possibles pour se connaître, pour s'aimer, accepter et vivre ses faiblesses, reconnaître l'autre par l'intermédiaire de sa propre vulnérabilité. Mais tous ces chemins ne passent-ils pas par un minimum d'hygiène alimentaire ?

CONCLUSION

Ce que je souhaite :

Que les agriculteurs, hélas pour la plupart entraînés dans un système de rentabilité-surproduction, reprennent conscience de la noblesse et de la magie de leur travail, qui est procréation, immuable depuis la nuit des temps.

Qu'ils se remettent à produire des fruits et des légumes sains, qui ont du goût, qui nous nourrissent correctement, qu'ils reprennent la place essentielle qui devrait être la leur dans la collectivité, avec tous les honneurs qu'on leur doit.

Que les enfants apprennent à reconnaître et à aimer la nature. Les orties, « aïe, ça pique ! »… mais une cerise cueillie à l'arbre sur lequel on a grimpé, que c'est bon !

Que les médecins apprennent en faculté les lois alimentaires qui nous régissent, qu'ils apprennent non plus à « stabiliser » la maladie en résorbant ses symptômes mais à la guérir en intervenant sur ses causes véritables.

Que les parents ne donnent plus à leurs enfants une nourriture dénaturée, incompatible, qu'ils apprennent à reconnaître les besoins alimentaires essentiels de leurs enfants.

Que la sécurité sociale se désintéresse un peu des laboratoires pharmaceutiques et qu'elle se mêle un peu plus des laboratoires agro-alimentaires.

Que les étudiants boutonneux fassent la relation entre leur acné et le fast-food qu'ils consomment chaque jour.

Que l'on s'arrête de surproduire, pour ensuite stocker de la viande, du beurre à des prix exorbitants alors que tant ont faim.

Que les hommes et les femmes se retrouvent et acceptent leurs différences, leurs faiblesses, leurs questions, leur tendresse parfois mal comprise.

Que les êtres humains ralentissent l'usage du minitel, du télex, du câble, du télégramme, pour se redonner de la chaleur avec les mots, le regard, le sourire.

Que l'on reconnaisse que le clochard ou le PDG sont des hommes, qu'ils ont chacun un poids à porter dans la vie et de ce fait, droit aux mêmes égards.

Je souhaite enfin que des structures soient mises en place, afin d'accueillir les personnes qui ont besoin de réfléchir, de faire le point, de se refaire une santé, quels que soient leurs problèmes, par une alimentation appropriée.

Créer une telle structure, c'est l'ambition de votre serviteur, qui espère qu'avec votre aide son livre sera largement diffusé.

Bien alimentairement vôtre

Jean-Claude Reygade

ANNEXES

LIVRES CONSEILLÉS

Sur l'alimentation et la pratique
de la diète et jeûne

* Herbert M. Shelton (éd. Le Courrier du Midi).

H.M. Shelton est sans aucun doute le précurseur pragmatique de l'hygiénisme. Il a consigné ses travaux, ses recherches et sa pratique dans une œuvre monumentale intitulée : *Le jeûne*.

* Albert Mosseri (éd. Le Courrier du Midi)

A. Mosseri est le principal diffuseur des théories de Shelton. Il a entretenu une relation étroite avec ce dernier tout au cours de sa carrière. A. Mosseri a écrit plusieurs ouvrages dont voici quelques titres :

Jeûner pour revivre

La santé par la nourriture

* Désiré Merien (éd. Nature et vie)

D. Merien, biologiste de formation, a très vite orienté sa vie sur la recherche de la santé, suite à de graves problèmes dus à une vaccination. Ses travaux sont de plusieurs ordres :

– compréhension scientifique des lois chimiques de la digestion entre les divers aliments. Ceci est consigné dans un livre : *Les compatibilités alimentaires.*

C'est un ouvrage diététique très complexe mais, à ma connaissance, unique actuellement.

Il est aussi l'auteur de *Jeûne et santé.* Il y propose une préparation au jeûne par des modes alimentaires de désintoxication.

De plus, il a mis au point un outil de travail psychothérapeutique nommé Bio-analyse.

Désiré Merien anime le centre « Nature et Vie » à Lorient, 8 impasse des roitelets, 56270 Ploemeur.

* Guy-Claude Burger (éd. Orkos)

Initiateur de l'instinctothérapie qui consiste à suivre son instinct et à consommer tous les aliments naturels crus. Bien que les hygiénistes émettent beaucoup de réserves face à certains aliments, même consommés crus, l'hypothèse de réflexion de G.C. Burger reste intéressante à connaître.

Sur la philosophie des lois physiques
et chimiques du corps

* **Sophie Loiseau et Thierry Pasquier** (éd. Guy Trédaniel)

Auteur de *Macrobiotique, voie de longue vie.*

Bien que l'hygiénisme ne préconise pas la consommation de graines et de légumineuses, cet ouvrage définit parfaitement les processus chimiques et énergétiques du corps humain quant aux fonctions de digestion, d'assimilation et d'élimination.

Sur la pensée

* **Jacques Salome** (éd. de l'Homme ou Albin Michel)

Parle-moi... j'ai des choses à te dire, est un livre remarquable pour la compréhension des échanges verbaux et de la communication dans la relation homme-femme.

Papa, maman, écoutez-moi vraiment, traite, lui, de la communication entre parents et enfants.

* **K.O. Schmidt** (éd. Astra)

– *Le hasard n'existe pas*

– *Le succès est à vos ordres*

– *Le secret du bonheur*

K.O. Schmidt a réussi à allier une technique de travail sur la pensée avec une démarche spirituelle.

Il explique et propose un outil de travail sur le système de pensées conscientes pour maîtriser et développer notre conscience.

* J.R.R. Tolkien (éd. Le Livre de Poche)

– *Bilbo le Hobbit*

– *Le seigneur des anneaux*

Ce sont des histoires fantastiques qui relatent les aventures de Bilbo et de son neveu, Frodon.

Ces livres devraient être lus à tous les enfants à partir de 10 ans jusqu'à 120 ans. Ceci pour les aider à développer leur personnalité, leur compréhension de la vie, leur spiritualité.

* Frère Antoine (éd. La Table Ronde)

– *Une bouffée d'ermite*

Frère Antoine habite dans une grotte dans le sud de la France. Les récits qu'il narre sont hautement spirituels et ceci dans les deux sens du terme. Il nous raconte son histoire ainsi que des histoires de l'ordre du quotidien vécues avec les personnes qui viennent le voir.

LIBRAIRIE

Il est possible de se procurer les livres suivants chez :
M. Jean-Claude Reygade
Monbéjan
32130 Savignac-Mona
Tél./fax : 05 62 62 35 45

De M. Mérien :
Compatibilités allimentaires, 250 pages .... 136 frs
Les sources de l'alimentation humaine, 220 pages, « « « « .. 106 frs
L'hygiène vitale, 192 pages, « « « « .... 106 frs

De M. Mosséri :
Confiez votre santé à la nature, 127 pages .... 116 frs

De M. Passebecq :
Initiation à la Santé intégrale, format A4, 250 pages ...... 151 frs

De M. Pradel :
La ménopause, l'ostéoporose, prise d'hormones,
une nécessité, format A4, 22 feuilles .... 55 frs

De M. Reygade :
Bien alimentairement votre, 193 pages 112frs
Planche A3 plastifiée, avec dessin des familles alimentaires
et des aliments compatibles (à accrocher dans la cuisine) ... 72 frs
Planche A3 plastifiée « alimentation progressive spiritualisante »
Pour les personnes désirant s'alimenter de manière
à favoriser leur démarche spirituelle .... 72 frs

Le port PTT est compris dans les prix.
A partir de l'achat de 5 documents de M. Reygade,
une remise de 30 % est effectuée.
Ces tarifs sont valables jusqu'à la fin de l'année 2000.
A partir du 1er janvier 2001, veuillez prendre contact avec Monbéjan

CENTRE DE MONBEJAN

Jean-Claude Reygade et son épouse Dominique animent le centre de Monbéjan.

Ils reçoivent en séjours de détente et de repos toute personne désirant apprendre les menus compatibles végétariens utilisés pour accroître un potentiel de meilleur fonctionnement de l'organisme.

Un mode alimentaire personnalisé est ainsi proposé à l'arrivée qui permet de mettre en pratique immédiatement les conseils énoncés dans ce livre. Il est aussi possible de s'initier à la pratique de la diète qui consiste à consommer des jus de fruits et de légumes pendant la journée.

Dans le calme du Gers, à 40 km de Toulouse, il est ainsi possible de redécouvrir les principes de vie saine favorisant le retour à l'équilibre physique et à la tranquillité intérieure.

Le centre est ouvert toute l'année.

Jean-Claude Reygade reçoit en consultation à Monbéjan.
Pour les personnes habitant loin, il est possible d'avoir des consultations téléphoniques.

Pour tous renseignements, contacter
M & Mme Reygade
Monbéjan
32130 Savignac-Mona
Tél. / fax : **05.62.62.35.45**

Je tiens à remercier chaleureusement pour leurs judicieux conseils et leurs précieuses corrections,

– Monsieur et Madame Roux
– Monsieur et Madame Dadachev
– Ma nièce, Mademoiselle Sandrine Pons
– Madame Eve Allard

SOMMAIRE

Intermède

Chapitre III :
POUR PRÉCISER QUELQUES POINTS SUR LA RELATION
ENTRE L'ALIMENTATION ET LA SANTÉ...

Chapitre IV :
POUR REPLACER L'ALIMENTATION
DANS LA GLOBALITÉ DE L'ÊTRE

Annexes

Achevé d'imprimer

PARA
GRAPHIC

31240 L'UNION (Toulouse)
Tél. 05 61 37 64 70
Dépôt légal : octobre 1999
Imprimé en France